EST. 0000 07E8
VOL. 021#2

ZERO TO ONE

매일 더 똑똑해지는
IT 교양서

한승제
021스쿼드

ZERO TO ONE #2 - 매일 더 똑똑해지는 IT 교양서

발   행 | 2024년 07월 22일
저   자 | 한승제, 021스쿼드
펴낸이 | 한건희
펴낸곳 | 주식회사 부크크
출판사 등록 | 2014.07.15.(제2014-16호)
주   소 | 서울특별시 금천구 가산디지털1로 119 SK트윈타워 A동 305호
전   화 | 1670-8316
이메일 | info@bookk.co.kr
ISBN | 979-11-410-9392-1
www.bookk.co.kr

CREDITS

해킹을 취미로, 취미로 해킹.
합법적으로 해킹하고 해킹 대회도 나가봅시다.
온라인 스터디도 모집 중!
　* https://bit.ly/8acking

condaa

콘텐츠의 바다, 콘다입니다! 이미지, 전자책뿐 아니라 각종 서식, 책, 논문 심지어 누군가의 생각, 상상, 잊상, 아이디어 등 이 세상의 모든 콘텐츠가 바로 여기에 있습니다!
　* https://condaa.com

5월8일
주식회사

네, 그렇습니다. 1년 내내 오로지 오직 어버이날 선물만을 연구합니다. 왜, Why 5월8일 주식회사는 어버이날 선물만 연구할까요?
　* https://5월8일.com

놀면뭐해주식회사

놀면뭐해 주식회사. 창업 인프라 기업.
남녀노소 누구나 사업가가 되어 지속적으로 성장할 수 있도록, 가장 저렴하게 가장 파격적으로!
　* https://illhaja.com

무한집합에서 전국에 무한개의 집을 소유하세요.
온 세상, 온 우주를 집으로 삼고 마음껏 누비시기 바랍니다!
　* https://무한집합.com

INTRO

오늘날 많은 이들이 사이버 공간으로의 이주를 마쳤습니다. 이제 사람들은 대부분의 시간을 IT 기기 속에서 보내게 되었습니다. 음식을 주문할 때도 쇼핑할 때도 여가를 즐길 때도 IT는 항상 따라다닙니다. 최소한 음악이라도 하나 틀어야 하니까요.

IT는 과거 작은 변화로 시작하였지만 마치 피보나치처럼 점점 큰 영향을 미치며 가속화될 것입니다. 모든 곳에 AI가 깃드는 것은 물론, 기억이나 의식을 드라이브에 저장하고 불러오는 시대가 도래할 것입니다. 나아가 세계 단일 정부를 출현시키는 기반도 될 것입니다. 소설 같지만 단지 시점이 문제일 뿐입니다.

사이버 공간은 또 다른 우주입니다. 우리가 사는 세계와 겹쳐 있어 의식하기 어렵지만 그들만의 영토와, 생태계, 거버넌스가 있습니다. 이곳에 오늘도 사람들은 이주하고 있습니다.

사이버 공간은 그렇게 계속 이주하도록 정교하게 디자인되었습니다. 그리고 잘 작동하고 있습니다. 그러면 이어서 무슨 일이 벌어질까요? 뭔지도 모르고 무방비여도 괜찮은 걸까요? 조금이라도 답이 되어드리겠습니다. 참고로 ZERO TO ONE는 0과 1뿐인 사이버 공간에서 모든 것(0에서 1까지, A to Z)이라는 뜻입니다.

AUTHOR

한 승 제

이전에는 디자인 같은 문화, 예술 산업에 관심이 많았다. 하지만 스스로 어느 정도 기술이 필요함을 느끼고, 당장은 진로를 변경하게 되었다. 현재 전문대에서 컴퓨터 소프트웨어 전공 과정을 이수하고 있다. 진로는 평생 고민이다. 비약적이진 않아도 컴퓨터와 조금씩 친해지고 있다. 이 책이 컴퓨터에 관련된 지식을 얻고자 하는 분들에게 도움이 되기를 바라며, 컴퓨터와 조금 더 친해지는 (ZeroToOne) 기회가 되었으면 좋겠다

021스쿼드

0과 1이 모든 것인 사이버 공간에서, 0부터 1까지(Zero To One) 모든 지역을 찾아다니면서 툭툭 건드리거나 일단 주머니에 넣고 보는 탐험단. "갈매기 갈매기, 여기는 갈매기 공들하나. 좌표 찰리호텔 삼하나둘칠 삼하나둘칠 현 시간부로 진입하겠음 이상."

매일 더 똑똑해지는 IT 교양서

ZERO TO ONE

공식 카페 접속하기

어느 날, 불법 도박 사이트를 해킹한 A씨는 경찰에 체포되었다. 그는 불법 도박 사이트 운영자들이 자신을 신고할 수 없다고 생각했지만, 결국 경찰에 잡혔다. A씨가 경찰에 체포될 수 있었던 이유는 무엇일까?

1. 해킹 과정에서 인터넷 프로토콜(IP) 추적을 당했다.

2. 해킹 시도 중 발생한 시스템 이상을 식별한 서버 회사가 신고했다.

3. 해킹 도중 실수로 공개된 개인정보를 통해 추적당했다.

4. 해킹에 사용한 장비가 감지되어 위치가 특정되었다.

[정답]

2. 해킹 시도 중 발생한 시스템 이상을 식별한 서버 회사가 신고
했다.

[해설]

A씨는 불법 도박 사이트를 해킹하면서 자신이 안전할 것이라고
생각했다. 그러나 불법 도박 사이트를 호스팅하는 서버 회사는
이러한 해킹 시도에 민감하게 반응했다. 서버 회사는 서버의 이
상 동작을 감지하고, 이를 분석해 해킹 시도를 확인했다. 비록
사이트 자체는 불법이었지만, 서버 회사는 해킹 시도를 인지하고
이를 경찰에 보고했다.

서버 회사는 법적 책임을 지고 있는 합법적인 업체이다. 이들은
본인들 서버의 보안과 안정성을 유지해야 하는 의무가 있다. 해
킹 시도가 감지되면, 이는 서버 회사의 평판과 신뢰성에 영향을
줄 수 있기 때문에 대응할 필요가 있다. 따라서 서버 회사는 이
상 징후를 발견하자마자 경찰에 신고했다.

경찰은 서버 회사로부터 해킹 시도에 대한 신고를 받고 수사에
착수했다. 서버 회사가 제공한 로그 파일과 네트워크 데이터를
분석한 결과, 해킹 시도를 한 A씨의 흔적을 찾아낼 수 있었다.
A씨가 사용한 IP 주소와 해킹 도구의 특성 등을 분석하면 A씨의
위치를 특정하고 체포할 수 있다.

A씨는 자신이 해킹한 사이트가 불법이기 때문에 운영자들이 신고할 수 없을 것이라 믿었지만, 사이트를 호스팅하는 서버 회사가 존재한다는 점을 간과했다. 서버 회사는 매순간 모든 사이트의 합법성 여부를 알지 못할 수 있지만, 서버의 보안을 위협하는 해킹 시도는 피해가 발생하므로 적절히 대응할 의무가 있다.

또한, A씨는 해킹 시도 중 자신의 위치를 은폐하기 위해 VPN이나 프록시 서버를 사용했을 수도 있다. 그러나 이러한 조치도 완벽하지는 않으며 해커가 남긴 로그 파일, 네트워크 데이터, 사용된 해킹 도구 등의 흔적은 경찰이 A씨를 추적하는 데 중요한 단서가 될 수 있다.

이러한 사례는 해킹이 단순히 기술적인 문제가 아니라, 법적 책임과 보안 의무를 지닌 다양한 주체들이 관여하는 복잡한 문제임을 보여준다. A씨는 불법 도박 사이트를 해킹하면 안전할 것이라고 생각했지만 서버 회사의 신고로 인해 경찰에 체포되었다.

매일 더 똑똑해지는 IT 교양서

ZERO TO ONE

공식 카페 접속하기

한 연구팀이 익명성과 온라인 프라이버시 보호를 위한 연구 프로젝트를 진행 중이었다. 연구팀은 토르 브라우저의 작동 원리를 분석하고, 이를 통해 사용자의 신원 보호와 안전한 인터넷 사용을 위한 방법을 개발하고자 한다. 연구원 중 한 명은 토르 네트워크의 복잡한 구조를 이해하고, 이를 통해 사용자 데이터를 어떻게 안전하게 보호할 수 있는지 실험을 통해 검증해야 했다. 다음 설명 중 연구원이 토르 브라우저의 작동 원리에 대해 잘못 이해한 부분은 무엇인가?

1. 토르 브라우저는 사용자의 트래픽을 여러 릴레이 노드를 통해 전달하며 각 노드에서 암호화된다.

2. 토르 네트워크의 모든 릴레이 노드는 사용자의 실제 IP 주소를 알 수 없다.

3. 토르 브라우저는 사용자의 데이터를 여러 번 암호화하여 익명성을 강화한다.

4. 토르 네트워크는 마지막 릴레이 노드가 웹사이트와 통신하는 방식으로 작동한다.

[정답]

2. 토르 네트워크의 모든 릴레이 노드는 사용자의 실제 IP 주소
   를 알 수 없다.

[해설]

토르 브라우저는 사용자의 인터넷 활동을 익명으로 유지하기 위해
설계된 웹 브라우저다. 이는 특히 프라이버시 보호와 신원 숨기
기에 중요한 역할을 한다. 여러 계층의 암호화를 통해 사용자의
트래픽을 숨기는 것이 핵심이다.

토르 네트워크는 사용자의 트래픽을 여러 릴레이 노드를 통해 전
달한다. 각 릴레이 노드는 다음 노드의 위치만 알고 있으며, 출
발지나 최종 목적지를 알지 못하게 설계되어 있다. 이를 통해 사
용자의 익명성을 극대화할 수 있다.

토르 네트워크의 작동 방식은 다음과 같다. 사용자가 웹사이트에
접속할 때, 토르 브라우저는 사용자의 트래픽을 무작위로 선택된
여러 릴레이 노드를 거쳐 목적지에 도달하게 한다. 이 과정에서
트래픽은 각 노드에서 암호화된다. 첫 번째 노드(입력 노드)는
사용자의 실제 IP 주소를 알고 있지만, 그 이후의 노드는 해당
정보를 알 수 없다. 각 노드는 트래픽을 받으면 한 번 더 암호화
한 후 다음 노드로 전달한다. 마지막 노드(출구 노드)는 웹사이
트에 도달하지만, 이때는 중간 노드를 통해 여러 번 암호화된 후

이므로 원래 출발지를 추적할 수 없다.

이 과정에서 사용자의 인터넷 트래픽은 여러 번 암호화되며, 각 계층은 다른 노드에 의해 암호화된다. 이 방식을 '양파 라우팅 (Onion Routing)'이라고 하며, 이는 토르 브라우저의 핵심 기술이다. 트래픽이 네트워크를 통과할 때 각 노드는 트래픽의 한 계층의 암호를 해독하고 다음 노드로 전달한다. 최종적으로 웹사이트에 도달할 때, 트래픽의 원래 출발지에 대한 정보는 제거되고 사용자의 익명성이 유지된다.

하지만 토르 네트워크의 모든 릴레이 노드가 사용자의 실제 IP 주소를 알 수 없다는 것은 사실이 아니다. 첫 번째 릴레이 노드는 사용자의 실제 IP 주소를 알 수 있다. 이는 트래픽이 토르 네트워크에 들어가기 전, 사용자의 컴퓨터에서 출발하기 때문이다. 그러나 그 이후의 노드는 사용자 정보를 알 수 없도록 설계되어 있다. 이는 익명성을 유지하기 위해 중요하다.

토르 브라우저의 설계는 많은 이점을 제공하지만 보안은 어느 하나만 신경쓴다고 해결되는 게 아니므로 위험에 대해 인지해야 한다. 예를 들어, 출구 노드에서 트래픽이 암호화되지 않은 상태로 전달되므로 민감한 정보는 HTTPS를 통해 보호되어야 한다. 또한, 사용자 자신의 실수나 브라우저의 취약점으로 인해 익명성이 손상될 수도 있다.

여전히 토르 브라우저는 익명성을 제공하는 강력한 도구지만, 그 원리와 제한을 잘 이해하고 사용하는 것이 중요하다. 이는 단순히 기술적인 지식을 넘어 전략적인 판단과 세심한 주의가 요구되는 영역이다.

글로벌 기업인 A사가 최근 몇 년간 계속해서 사이버 공격에 시달리던 중, 어느 날 사내 시스템에서 정체불명의 프로그램이 발견되었다. 보안팀은 이 프로그램을 추적하여 해커들이 은밀하게 기업 내부 정보를 빼돌리고 있다는 사실을 알아냈다. 이에 적절히 대응하여 보안팀은 해커들의 신원과 공격 기법을 파악하였고 조직을 완전히 무너뜨릴 수 있을 정도의 증거를 확보했다. 이를 바탕으로 체포 작전이 성공적으로 이루어졌고, 기업 A사는 큰 피해를 막을 수 있었다. 이 사건에서 IT 보안팀이 사용한 주요 대응 전략은 무엇일까?

1. 기업의 모든 시스템을 즉각적으로 오프라인으로 전환하고 모든 연결을 차단했다.
2. 허니팟을 사용하여 해커들의 공격 기법과 신원을 파악한 뒤, 법 집행 기관에 증거를 제공했다.
3. 모든 직원들에게 긴급 비밀번호 변경을 지시하고 모든 기기에서 보안 소프트웨어를 업데이트했다.
4. 해커들이 사용한 프로그램을 역추적하여 해커들의 본거지를 직접 공격했다.

[정답]

2. 허니팟을 사용하여 해커들의 공격 기법과 신원을 파악한 뒤, 법률 집행 기관에 증거를 제공했다.

[해설]

A사는 사이버 공격에 시달리던 중, 정체불명의 프로그램을 발견하고 이를 추적하여 해커들이 정보를 빼돌리고 있음을 알아냈다. IT 보안팀은 이를 해결하기 위해 허니팟을 설치했다. 허니팟은 해커들이 공격할 수 있도록 의도적으로 취약점을 가진 시스템을 만들어, 해커들이 이를 실제 시스템으로 착각하고 공격하도록 유도하는 장치다. 이를 통해 해커들의 행동을 모니터링하고, 그들의 공격 기법과 신원을 파악할 수 있다.

A사의 IT 보안팀은 해커들이 허니팟을 공격하면서 남긴 흔적들을 분석했다. 그렇게 해커들의 신원과 그들의 공격 기법을 명확히 파악할 수 있었다. 이 정보를 바탕으로 법 집행 기관에 증거를 제공하여 해커 조직을 일망타진할 수 있었다. 이는 허니팟을 설치하여 얻을 수 있는 큰 이점 중 하나로, 단순히 방어에 그치지 않고 공격자의 실체를 밝혀내는 데 직접적인 도움이 된다.

허니팟을 설치하는 과정에서는 몇 가지 중요한 점을 고려해야 한다. 먼저, 허니팟은 실제 시스템과 매우 유사하게 만들어져야 한다. 해커들이 쉽게 이를 가짜로 인식할 수 없도록 충분한 디테일을 갖추어야 한다. 또한, 허니팟이 공격을 받으면서 발생하는 모든 로그와 데이터를 철저히 기록하고 분석해야 한다. 이를 통해 해커들의 행동 패턴, 사용한 도구, 접속 경로 등을 상세히 파악할 수 있다.

이러한 예시는 허니팟이 효과적인 사이버 보안 수단이 될 수 있음을 보여준다. 허니팟을 통해 해커들의 실체를 밝혀내고, 그들이 사용한 공격 기법을 파악함으로써 보다 효과적인 대응책을 마련할 수 있다. 또한, 허니팟을 통해 수집한 증거를 바탕으로 법적 조치를 취할 수 있어, 사이버 범죄를 예방하고 차단하는 데에도 도움이 된다.

허니팟을 사용할 때 주의해야 할 점도 있다. 먼저, 허니팟은 실제 중요한 데이터나 시스템에 연결되어 있어서는 안 된다. 해커들이 허니팟을 통해 실제 시스템에 접근할 수 있는 경로를 찾지 못하도록 철저히 격리된 환경에서 운영해야 한다. 또한, 허니팟에 대한 접근은 철저히 통제되어야 하며, 허니팟의 존재 자체가 외부에 알려지지 않도록 해야 한다.

매일 더 똑똑해지는 IT 교양서

ZERO TO ONE

공식 카페 접속하기

『 85 』

비트코인 채굴자 존은 그의 친구인 에밀리와 함께 산속에 위치한 비밀 채굴장을 방문했다. 채굴장은 외부의 눈을 피하기 위해 철저히 감추어져 있었고, 입구에는 커다란 자물쇠가 있었다. 내부로 들어가자, 엄청난 열기와 기계 소음이 그들을 맞이했다. 에밀리는 왜 이렇게 많은 장비들이 필요한지 궁금해졌다. 그녀는 존에게 물었다, "이 모든 장비들이 왜 필요한 거야?"

1. 비트코인 채굴을 통해 인터넷 속도를 높이기 위해서

2. 비트코인 네트워크를 유지하기 위해서

3. 비트코인 거래를 감시하기 위해서

4. 비트코인의 시장 가치를 예측하기 위해서

[정답]
2. 비트코인 네트워크를 유지하기 위해서

[해설]
비트코인 채굴에 대해 이해하려면 먼저 비트코인의 구조와 작동 방식을 알아야 한다. 비트코인은 블록체인이라는 기술을 기반으로 한다. 블록체인은 일종의 분산 원장으로, 거래 정보를 투명하고 안전하게 기록하는 시스템이다. 블록체인을 유지하는 핵심 역할을 하는 것이 바로 비트코인 채굴이다.

비트코인 채굴이란 새로운 비트코인 블록을 추가하는 과정이다. 이 과정에서 채굴자들은 작업 증명(Proof of Work)이라는 방식으로 특정 조건을 만족하는 해시값을 찾기 위해 끊임없이 반복 계산을 수행한다. 이 해시값은 매우 까다로운 조건을 만족해야 하며, 이를 찾기 위해서는 엄청난 양의 계산을 동시에 빠르게 처리할 수 있는 컴퓨팅 파워가 필요하다. 채굴 장비는 바로 이러한 컴퓨팅 파워를 제공하는 역할을 한다.

채굴 장비가 필요한 가장 큰 이유는 바로 비트코인 네트워크의 보안을 유지하기 위해서이다. 채굴을 통해 블록을 생성할 때마다 해당 블록에는 이전 블록의 해시값이 포함된다. 이는 일종의 디지털 서명과 같아서, 블록들이 서로 연결되도록 한다. 이 연결 구조가 바로 블록체인의 핵심이다.

채굴자들이 조건을 만족하는 해시값을 찾으면, 새로운 블록을 생성하고 이를 네트워크에 연결된 다른 모든 노드는 검증한다. 이 과정에서 채굴자들은 자신의 컴퓨팅 파워를 사용해 블록을 생성하고 검증하는데 기여하며, 이로 인해 네트워크의 보안이 강화된다. 만약 누군가가 비트코인 네트워크를 공격하려고 한다면, 전체 네트워크의 51% 이상의 컴퓨팅 파워를 장악해야만 한다. 이는 매우 어려운 일이며, 채굴 장비가 많아질수록 더욱 불가능에 가까워진다.

따라서 채굴 장비는 단순히 비트코인을 채굴하기 위한 도구가 아니라 전체 네트워크의 안전성을 유지하는 중요한 역할을 한다. 비트코인 네트워크는 분산된 방식으로 운영되기 때문에, 각 채굴자의 기여가 모여 전체 시스템을 안전하게 만든다. 이는 중앙 집중화된 시스템보다 더 안전하고 투명한 방식이다.

비트코인 채굴의 또 다른 중요한 이유는 비트코인 공급의 통제를 위한 것이다. 비트코인은 총 발행량이 2100만 개로 제한되어 있다. 새로운 비트코인이 발행되기 위해서는 채굴을 통해야만 한다. 채굴을 통해 일정한 시간 동안 일정량의 비트코인이 새로 발행되며, 이는 비트코인의 희소성을 유지하게 만든다. 희소성은 비트코인의 가치를 유지하는 중요한 요소 중 하나이다.

매일 더 똑똑해지는 IT 교양서

ZERO TO ONE

공식 카페 접속하기

보안 담당자인 당신은 침해사고를 대응하기 위해 모든 직원의 이메일과 파일을 조사하던 중, 시기상 동료가 열었던 한 PDF 파일이 의심스러웠다. PDF 파일도 악성 코드에 감염될 수 있다는 이야기를 들은 것이 떠올랐기 때문이다. 과연 PDF 파일도 악성 코드를 숨길 수 있을까? PDF 파일에 대한 사실로 옳은 것은?

1. PDF 파일은 바이러스에 감염될 수 없다. 모든 바이러스는 실행 파일만 감염시킨다.

2. PDF 파일은 바이러스가 숨겨질 수 있다. 프로그램 코드가 포함될 수 있기 때문이다.

3. PDF 파일은 텍스트 파일이기 때문에 안전하다. 단순한 문서 파일은 바이러스에 감염되지 않는다.

4. PDF 파일은 보안성이 높으며 보호된 형식이기 때문에 바이러스가 감염될 수 없다.

[정답]

2. PDF 파일은 바이러스가 숨겨질 수 있다. 프로그램 코드가 포함될 수 있기 때문이다.

[해설]

PDF 파일도 바이러스에 감염될 수 있다. 이는 단순히 실행 파일만 바이러스의 타겟이 되는 것이 아니기 때문이다. PDF 파일에도 악성 코드를 삽입할 수 있는 여러 가지 방법이 존재한다.

우선 PDF 파일은 다양한 기능을 가지고 있다. 단순한 텍스트나 이미지뿐 아니라, 자바스크립트 코드를 포함할 수 있고, 링크나 버튼을 통해 외부 사이트로 연결될 수 있다. 이런 기능들은 PDF 파일이 단순한 문서 파일 이상의 가능성을 가지게 한다. PDF 파일 내부에 자바스크립트 코드를 포함시키는 방법을 통해 악성 코드를 삽입할 수 있다. 이 코드가 실행되면, 사용자 컴퓨터에 바이러스를 퍼뜨릴 수 있다.

또한, PDF 파일에는 임베디드 파일 기능도 있다. 이는 다른 파일을 PDF 내부에 포함시킬 수 있는 기능으로, 이 포함된 파일이 실행 파일이거나 악성 스크립트라면 사용자가 PDF 파일을 열 때 감염될 수 있다. 예를 들어, PDF 내부에 악성 매크로가 포함된 문서 파일을 삽입하는 경우도 있다.

PDF 파일의 보안 취약점을 악용한 공격 사례도 많다. 유명한 예로 2010년, 'CoolType.dll' 취약점을 통해 PDF 파일이 악성 코드를 실행할 수 있는 사례가 있었다. 이 취약점은 PDF 파일이 특정 형식의 데이터를 처리할 때 발생하는 버퍼 오버플로우를 이용해 악성 코드를 실행시킬 수 있었다.

이 외에도 PDF 파일 자체에 존재하는 다양한 취약점을 이용한 공격은 지속 발견되고 있다. 따라서 PDF 파일이 단순한 문서 파일이기에 안전하다는 생각은 위험하다. 문서 파일을 받을 때에도 출처를 확인하고, 안티바이러스 프로그램을 통해 검사를 하는 것이 좋다. 특히 출처가 불분명한 파일은 열지 않는 것이 가장 안전하다.

결론적으로, PDF 파일도 바이러스가 숨겨질 수 있다. 이를 예방하기 위해서는 PDF 파일의 보안 취약점에 대한 이해와 주의가 필요하다. 또한, 항상 최신 보안 패치를 적용하고, 안티바이러스 프로그램을 사용하며 시스템을 보호하는 것이 중요하다. 문서 파일도 바이러스의 잠재적 위협이 될 수 있다는 사실을 기억하고, 적절한 조치를 취하는 것이 중요하다.

『 87 』

어느 비트코인 고래(Bitcoin Whale)가 대량의 비트코인을 안전하게 감추기 위해 고도의 믹싱 기술을 사용하고 있다는 정보를 접한 기자 '한수'는 이 사건의 실체를 파헤치기 위해 IT 전문가 '정현'을 찾아갔다. 정현은 비트코인 믹싱을 탐색하는 일에 오래 종사해온 전문가로, 여러 차례 불법 거래를 추적한 경험이 있다.

정현은 복잡한 암호화 알고리즘과 블록체인의 특징을 한수에게 설명하며 한수에게 퀴즈를 하나 냈다. "한수, 이 비트코인 믹싱이 어떻게 작동하는지, 네가 이해하는 정도를 확인하고 싶다. 아래의 상황을 보고 정답을 맞춰봐."

"어느 날 A는 10 BTC를 믹싱하기로 결정한다. 이 과정에서 A의 10 BTC는 여러 다른 사용자들의 비트코인과 섞이게 된다. 믹싱 풀에 들어간 비트코인들은 여러 주소로 분산되고, 최종적으로 A는 9.8 BTC를 새로운 주소로 받게 된다. 이 과정에서 사용된 가장 핵심적인 기술은 무엇인가?"

1. 각 거래를 여러 작은 조각으로 분할한 후, 다양한 지갑 주소로 전송한 뒤 다시 합치는 'CoinJoin' 방식이다.

2. 모든 거래를 암호화한 후, 익명성을 보장하기 위해 여러 계정을 거쳐 분배하는 'Encryption Mixing' 방식이다.

3. 비트코인 거래의 해시값을 변형하여 추적을 어렵게 만드는 'Hashing' 방식이다.

4. 블록체인의 정보를 전부 새로 고침하여 기존 기록을 지우는 'Blockchain Reset' 방식이다.

[정답]

1. 각 거래를 여러 작은 조각으로 분할한 후, 다양한 지갑 주소로 전송한 뒤 다시 합치는 'CoinJoin' 방식이다.

[해설]

비트코인 믹싱은 거래의 익명성을 보장하기 위해 여러 기술을 사용한다. 그 중 가장 대표적인 것이 바로 'CoinJoin' 방식이다. CoinJoin은 비트코인 거래를 여러 작은 단위로 나누어 여러 주소로 분산시킨 후, 이를 다시 합쳐 새로운 주소로 보내는 방법이다. 이 방법을 통해 각 거래의 출처를 숨길 수 있으며, 비트코인의 투명성을 유지하면서도 프라이버시를 강화한다.

블록체인은 모든 거래 기록을 블록이라는 단위로 묶어서 순서대로 연결한 데이터베이스다. 이 시스템 덕분에 비트코인은 탈중앙화된 구조를 유지하면서도 높은 투명성을 가지게 된다. 그러나 투명성은 거래자의 프라이버시를 침해할 수 있는 위험을 내포하고 있다. 이를 방지하기 위해 비트코인 믹싱 기술이 등장했다.

믹싱은 사용자의 비트코인을 여러 사람의 비트코인과 섞어서 출처를 불분명하게 만든다. 이 과정에서 'CoinJoin'이라는 기술이 중요한 역할을 한다. CoinJoin은 여러 사용자의 비트코인 거래를 하나의 트랜잭션으로 결합하는 방식이다. 예를 들어, A, B, C가 각각 비트코인 10 BTC, 20 BTC, 30 BTC를 송금하려고 한다고 가정해보자. 이 세 거래를 각각 송금하면 거래의 출처와 목적지가 명확하게 드러나기 쉽다. 그러나 CoinJoin을 사용하면 이 세 거래를 하나의 큰 트랜잭션으로 묶어 각자의 비트코인을 다른 여러 주소로 보낸다. 이 과정에서 비트코인의 송수신 경로가 뒤섞이기 때문에 특정 비트코인이 어디에서 왔는지 추적하기 어려워진다.

퀴즈의 10 BTC의 믹싱 과정도 비슷하다. A가 10 BTC를 믹싱 서비스에 맡기면, 이 비트코인은 여러 사용자들의 비트코인과 함께 뒤섞인다. 믹싱 풀에 들어간 비트코인은 여러 작은 조각으로 나누어져 다양한 주소로 전송된다. 이 과정에서 비트코인은 서로의 경로와 출처를 뒤섞어 추적이 어렵게 된다. 최종적으로 A는 9.8 BTC를 새로운 주소로 받게 되는데, 이는 믹싱 과정에서 발생한 수수료를 제외한 금액이다.

비트코인 믹싱에는 다양한 기술이 사용되지만, 그 중에서도 CoinJoin은 가장 널리 알려진 방법이다. 다른 선택지인 'Encryption Mixing'이나 'Hashing' 방식, 'Blockchain Reset' 방식은 실제로 존재하지 않거나, 비트코인 믹싱과는 전혀 다른 기술이다. CoinJoin은 거래의 익명성을 강화하는데 필수적인 기술로, 이를 통해 사용자는 프라이버시를 보호하면서 비트코인을 사용할 수 있게 된다.

『 88 』

가상의 도시 사이버토피아에서, 시민들은 일상적인 계약을 디지털로 처리하는 스마트 계약 시스템을 사용하고 있다. 시민들은 이 시스템이 계약을 자동으로 실행하고, 중재자가 필요 없다는 점에서 매우 편리하다고 느낀다. 하지만 어느 날, 사이버토피아의 미상의 해커가 이 시스템을 뚫고 큰 혼란을 일으키면서 시민들은 이 시스템의 본질에 대해 의문을 품기 시작했다. 사이버토피아의 정부는 이를 해결하기 위해 최고의 보안 전문가 팀을 투입했지만, 시민들은 여전히 불안해하고 있다. 이 시스템이 정말로 '스마트' 하고 '계약'을 대체할 수 있는 것인지 의문이 든다.

그러던 어느 날 이러한 사건과 관련하여, 은퇴했지만 여전히 유명한 보안 전문가인 존에게 방송 인터뷰가 있었다. 그는 복잡한 기술 용어 대신 일상적인 예시를 들어 스마트 계약을 설명하기 시작했다.

"스마트 계약이라는 용어는 사실 오해의 소지가 있지요. 이것은 일반적인 계약처럼 서명된 문서가 아니라, 특정 조건이 만족되면 자동으로 실행되는 코드일 뿐이지. 예를 들어, 스마트 계약을 통해서 집을 구입한다고 해볼까요. 기존의 계약서와 달리, 스마트 계약은 집값을 지급하면 자동으로 소유권을 이전하는 식으로 동작합니다. 이러한 자동화가 가능하게 해주는 것이 바로 이 스마트 계약의 핵심이지. 하지만 실제로는 복잡한 코드 덩어리에 불과하다는 점을 잊어서는 안 되지요. 이 코드를 잘못 설계하거나 보안 취약점이 있으면 역시 그 결과는 재앙이 될 수 있지. 그래서 '스마트'라는 이름이 붙었지만, 그 기능과 역할을 정확히 이해할 필요가 있어요."

이 설명을 듣고도 시민들은 여전히 이해하기 어려워했다. 여기서 존은 중요한 질문을 던졌다. "그렇다면 왜 이런 복잡한 소프트웨어에 '스마트 계약'이라는 이름이 붙었을까? 단순한 자동화 프로그램이 왜 그런 이름을 가질 수 있었을까?"

1. 스마트 계약은 인공지능(AI)을 사용하여 스스로 계약 조건을 이해하고 조정할 수 있기 때문이다.
2. 스마트 계약은 사람의 개입 없이 자동으로 실행되며, 블록체인 기술을 사용하여 계약의 신뢰성과 투명성을 보장하기 때문이다.
3. 스마트 계약은 모든 계약 조건을 디지털로 기록하고, 사람 대신 법적 분쟁을 해결하기 때문이다.
4. 스마트 계약은 모든 소프트웨어와 달리 계약법의 모든 요소를 완벽하게 이해하고 적용할 수 있기 때문이다.

[정답]

2. 스마트 계약은 사람의 개입 없이 자동으로 실행되며, 블록체인 기술을 사용하여 계약의 신뢰성과 투명성을 보장하기 때문이다.

[해설]

스마트 계약(Smart Contract)이란 블록체인 기술을 기반으로 특정 조건이 만족되면 자동으로 실행되는 소프트웨어 코드다. 전통적인 계약과는 달리, 스마트 계약은 계약의 내용이 코드로 작성되며 자동으로 실행되도록 설계되어 있다. 이러한 자동화 과정 덕분에 중재자나 제3자의 개입 없이 계약의 조건이 충족되면 바로 실행된다는 점에서 큰 장점을 가진다. 이를 통해 시간과 비용을 절감하고, 계약 이행의 투명성과 신뢰성을 높일 수 있다.

그러나 이러한 스마트 계약도 사실은 복잡한 소프트웨어일 뿐이다. '스마트'라는 단어는 지능적인 무언가를 연상하게 하지만, 실제로는 사전에 정의된 규칙과 조건을 자동으로 수행하는 코드에 지나지 않는다. 스마트 계약이 자동으로 실행되기 때문에 많은 이들은 이것이 마치 계약의 모든 복잡성을 이해하고 처리할 수 있는 것처럼 오해할 수 있지만, 실제로 그런 의미는 아니다. 스마트 계약은 프로그래밍된 대로만 작동하며 외부 환경 변화나 예외적인 상황에 대응하는 능력이 없다.

그렇다면 왜 '스마트 계약'이라는 이름이 붙었을까? 이는 주로 블록체인 기술과 연관되어 있다. 블록체인은 분산 원장 기술을 이용해 거래 내역을 투명하게 기록하고 해킹이나 변조가 어려운 구조를 가지고 있다. 이 블록체인 위에 스마트 계약이 존재함으로써, 계약의 내용이 공정하고 신뢰할 수 있는 형태로 보장될 수 있는 것이다. 따라서 '스마트'라는 용어는 이 시스템이 제공하는 자동화와 신뢰성을 강조하기 위한 부분도 있다.

스마트 계약의 본질을 이해하기 위해서는 몇 가지 중요한 개념을 알아야 한다. 먼저, 스마트 계약은 '조건 기반'으로 작동한다. 이는 계약의 특정 조건이 충족되면 자동으로 계약 내용이 실행되는 것을 의미한다. 예를 들어, 물건을 구매하는 스마트 계약에서는 구매자의 대금이 입금되면 자동으로 소유권이 이전되고, 이것이 블록체인에 기록된다. 이 과정에서 중간에 사람이 개입할 필요가 없기 때문에 거래 과정이 매우 효율적이다.

둘째, 스마트 계약은 '불변성'을 갖춘다. 블록체인에 기록된 계약 내용은 변경하거나 삭제할 수 없기 때문에, 계약 이행의 신뢰성을 높일 수 있다. 이는 특히 계약 이행에 있어 분쟁이 발생할 가능성을 줄이는 데 도움이 된다.

셋째, 스마트 계약은 '분산화'되어 있다. 중앙 집중식 시스템이 아닌 블록체인 네트워크에 분산되어 있으므로 특정 기관이나 개인

이 계약을 조작할 수 없다. 이에 따라 스마트 계약은 기존의 계약보다 더욱 투명하고 안전한 환경을 제공한다.

그러나 이러한 장점에도 불구하고 스마트 계약에는 단점도 존재한다. 스마트 계약은 코드로 작성되기 때문에 코드에 오류가 있거나 보안 취약점이 존재하면 큰 문제가 발생할 수 있다. 실제로 2016년, 이더리움 블록체인에서 운영되던 스마트 계약 기반의 탈중앙화 자율 조직(DAO)이 해킹당해 약 6천만 달러 상당의 이더리움이 도난당한 사건이 있었다. 이 사건은 스마트 계약의 보안이 얼마나 중요한지를 단적으로 보여준다.

결국 스마트 계약은 '계약'이라는 이름을 가졌지만, 실제로는 코드로 구현된 자동화 시스템일 뿐이다. 이를 통해 계약의 효율성과 신뢰성을 높일 수 있지만, 여전히 코드의 안전성과 정확성을 보장하는 것이 매우 중요하다. 따라서 스마트 계약을 사용할 때는 이러한 기술적 특성과 한계를 충분히 이해하고 필요한 경우 전문가의 조언을 받는 것이 좋다.

어느 날, IT 보안 전문가인 당신은 한 침해사고 대응에 참여하게 되었다. 회사의 중요한 서버가 주기적으로 다운되는 사건이 발생했으며, 이는 회사의 비즈니스에 막대한 손실을 초래하고 있었다. 서버는 나름 최신 방화벽과 안티바이러스 시스템으로 보호 중이었고, 외부로부터의 침입 흔적은 전혀 발견되지 않았다.

하지만 서버는 여전히 일정한 시간마다 작동을 멈췄다. 내부 조사 결과, 서버 다운의 원인은 자원 고갈 때문이었다. 자원 고갈의 원인은 대규모의 정교한 봇 네트워크가 서버에 무작위 요청을 보내 자원을 소모시키는 디도스(DDoS) 공격으로 밝혀졌다. 이를 해결하기 위해 보안 핵심 요소 중 가용성(Availability)이 강조되어야 한다는 점이 제기되었다. 이와 관련하여 가용성이 보안의 핵심 요소로 간주되는 이유는 무엇일까?

1. 가용성은 시스템의 기밀성을 지키기 위해 필요하다.
2. 가용성은 데이터의 무결성을 보장하기 위한 것이다.
3. 시스템의 정상 운영이 없으면 다른 보안 요소의 존재 의미가 없기 때문이다.
4. 가용성은 사용자 접근을 제한하는 역할을 한다.

[정답]

3. 시스템의 정상 운영이 없으면 다른 보안 요소의 존재 의미가 없기 때문이다.

[해설]

보안의 핵심 요소는 크게 세 가지로 구분된다: 기밀성 (Confidentiality), 무결성(Integrity), 그리고 가용성 (Availability)이다. 기밀성은 민감한 정보를 보호하는 것을 의미하고, 무결성은 정보가 변조되거나 손상되지 않도록 하는 것이다. 가용성은 시스템이나 서비스가 사용자에게 항상 사용할 수 있도록 유지하는 것을 뜻한다.

디도스 공격은 분산된 여러 대의 컴퓨터가 동시에 한 서버에 대량의 요청을 보내 서버 자원을 고갈시키는 공격 방식이다. 이런 공격으로 인해 서버가 다운되면, 시스템의 가용성이 떨어져 정당한 사용자들이 시스템을 이용할 수 없게 된다. 이는 곧 기업의 신뢰도 하락과 금전적 손실로 이어질 수 있다.

가용성이 중요한 이유는 단순히 시스템이 작동하는지의 문제가 아니라, 그 시스템을 필요한 순간에 사용될 수 있어야 하기 때문이다. 금융 거래 시스템, 의료 정보 시스템, 공공 서비스 시스템 등 많은 분야에서 가용성은 곧 그 시스템의 신뢰성과 직결된다.

따라서 가용성은 단순히 시스템을 '지키는' 것에 국한되지 않고, 시스템이 언제나 사용 가능하도록 '유지'하는 것을 목표로 한다. 이를 통해 사용자들은 언제든지 필요한 정보를 얻고 서비스를 이용할 수 있다. 이는 곧 기업이나 기관이 정상적으로 운영되도록 하는 중요한 요소가 된다.

보안의 다른 두 요소인 기밀성과 무결성도 물론 중요하다. 하지만 시스템이 다운되거나 접근할 수 없게 되면, 기밀성과 무결성도 아무 의미가 없어진다. 다시 말해, 기밀성이나 무결성이 아무리 잘 유지되고 있어도 사용자가 그 시스템에 접근할 수 없으면 이는 보안 실패로 간주할 수 있다. 지키는 의미가 없는 상태에서는 아무리 잘 지켜봤자 소용없기 때문이다.

이번 사건에서 서버가 주기적으로 다운된 원인은 디도스 공격에 의한 자원 고갈이었다. 이런 공격은 기밀성을 침해하지 않으며, 무결성을 훼손하지도 않는다. 그러나 서버의 가용성을 떨어뜨려 정당한 사용자들이 시스템을 사용할 수 없도록 만든다. 이는 곧 회사의 운영에 직접적인 타격을 준다.

보안에서 가용성이 왜 중요한지 이해하려면 시스템의 정상적인 운영을 유지하는 것이 얼마나 중요한지 생각해 보면 된다. 서버가 항상 가동 중이어야 하는 이유는 단순히 '켜져 있어야 한다'는 것이 아니라, 이를 통해 사용자들이 언제든지 필요한 서비스

즐 받을 수 있도록 보장하는 것이다. 가용성이 떨어지면, 아무리 기밀성과 무결성이 잘 유지되더라도, 시스템은 제 역할을 다하지 못하게 된다. 이런 이유로, 보안의 핵심 요소 중 하나로 가용성이 포함되는 것이다.

한 해커가 웹사이트의 보안 취약점을 연구하던 중 특이한 현상을 목격했다. 그는 최근에 개발된 싱글 페이지 애플리케이션(SPA) 웹사이트에 접속하려 했지만, 크롤링 로봇을 이용해 접근했을 때는 웹사이트가 마치 비어 있는 것처럼 보였다. 반면, 사람이 직접 접속하면 정상적으로 모든 정보가 표시되었다. 해커는 수많은 코드를 뒤져보다가 이 웹사이트가 크롤링 로봇과 사람을 구분해 각각 다른 데이터를 제공한다는 사실을 알아냈다. 웹사이트 개발자가 이렇게 작동하게 만든 이유는 무엇일까?

1. 크롤러의 접근을 차단해 서버 부하를 줄이기 위해서다.

2. 크롤링 로봇이 데이터를 훔쳐 가는 것을 막기 위해서다.

3. 방문자의 브라우저 호환성을 테스트하기 위해서다.

4. 사용자 경험을 향상시키기 위해서다.

[정답]

2. 크롤링 로봇이 데이터를 훔쳐 가는 것을 막기 위해서다.

[해설]

웹 개발 기술이 발전하면서, 많은 웹사이트가 싱글 페이지 애플리케이션(SPA)을 채택하고 있다. SPA는 페이지를 새로 고칠 필요 없이(주소 변경 없이) 필요한 데이터를 비동기적으로 가져와 페이지를 업데이트하는 방식으로 작동한다. 이렇게 하면 사용자에게 더 빠르고 부드러운 경험을 제공할 수 있다. 하지만, 이런 웹사이트는 크롤링 로봇이 데이터를 쉽게 가져갈 수 없도록 하는 보안 조치가 필요할 때가 많다.

크롤링 로봇은 웹사이트의 데이터를 자동으로 수집하는 소프트웨어로, 검색 엔진 최적화(SEO) 목적 외에도 다양한 용도로 사용될 수 있다. 문제는 일부 크롤링 로봇이 불법적으로 데이터를 수집해 다른 사이트에 무단으로 사용하거나, 사이트의 데이터를 대량으로 긁어가 서버에 부하를 주는 경우가 있다는 점이다. 그래서 웹사이트 개발자는 이런 크롤링 로봇의 접근을 차단하거나, 접근했을 때 올바른 데이터를 제공하지 않는 방법을 선택할 수 있다.

위의 시나리오에서, 해커가 발견한 웹사이트는 크롤링 로봇의 접근을 감지하고, 사람이 접근할 때와는 다르게 비어 있는 페이지를 보여주었다. 이는 크롤링 로봇이 데이터를 무단으로 수집하는 것을 방지하려는 조치였다. 크롤링 로봇과 사람을 구분하는 방법은 여러 가지가 있지만, 대표적인 방법으로는 브라우저의 사용자 에이전트(User Agent)를 분석하는 방식이 있다. 사용자가 브라우저를 통해 접근하면 해당 브라우저의 사용자 에이전트 정보가 서버로 전달된다. 간단하게는 이 정보를 통해 서버는 사용자가 크롤링 로봇인지 실제 사람인지 구분할 수 있다.

보기 1번은 서버 부하를 줄이기 위해 크롤링 로봇의 접근을 차단한다는 설명이다. 크롤링 로봇이 대량의 데이터를 요청하면 서버에 부하가 발생할 수 있기 때문에 일부 맞는 설명일 수도 있지만, 위의 문맥에서는 데이터 보호가 주된 목적이다.

보기 3번은 방문자의 브라우저 호환성을 테스트하기 위한 설명이다. 브라우저 호환성을 테스트하기 위해 일부러 다른 페이지를 보여주는 경우도 있을 수 있지만, 이는 크롤링 로봇과 사람을 구분하는 것과는 관련이 없다.

보기 4번은 사용자 경험을 향상시키기 위한 설명이다. 사용자 경험을 향상시키기 위해 SPA를 사용하는 것은 맞지만, 크롤링 로봇과 사람을 구분하는 것과는 관계가 없다.

결국, 웹사이트가 크롤링 로봇과 사람을 구분하고 크롤링 로봇이 데이터를 가져가지 못하도록 조치한 이유는 데이터를 보호하고 불법적인 접근을 막기 위해서이다. 이는 웹사이트의 보안을 강화하고 데이터가 무단으로 사용되지 않도록 하기 위한 중요한 조치다. 크롤링 로봇이 데이터를 가져가는 것을 막는 것은 데이터 보호 측면에서 연관이 있으며 웹사이트 운영 시 고려해야 한다. 웹사이트의 신뢰성을 높이는 중요한 요소 중 하나이기 때문이다.

매일 더 똑똑해지는 IT 교양서

ZERO TO ONE

공식 카페 접속하기

『 91 』

비밀 조직 "에노그마"는 전 세계의 통신을 감청해 정보를 수집하고 있는 것으로 알려져 있다. 이들은 특히 큰 숫자를 빠르게 처리하는 기술로 유명하다. 이 조직은 데이터를 매우 큰 숫자로 변환한 뒤, 이를 1,000,000 이하의 숫자로 바꾸는 방식으로 통신한다. 조직의 기술 책임자였던 노먼은 어느 날 알 수 없는 이유로 사라졌고, 그가 남긴 유일한 힌트는 "큰 숫자는 항상 같은 자리에 돌아온다"는 암호 같은 말 뿐이었다.

핵심적인 기술이었기에 남은 인원들은 노먼이 사용했던 방법의 원리를 이해해야만 한다. 다행히 몇 주 후, 조직의 연구팀은 노먼의 메모와 다양한 문헌을 조사해 마침내 그 비밀을 밝혀냈다. 큰 숫자가 특정 범위 내로 항상 유지되는 원리는 무엇일까?

1. 숫자를 주기적으로 압축하여 크기를 줄이는 특수한 알고리즘을 사용하기 때문이다.

2. 수학적 원리인 모듈러 연산을 사용해 큰 숫자를 일정한 범위 내로 변환하기 때문이다.

3. 숫자를 나누어 여러 개의 작은 숫자로 분산 처리하는 병렬 계산 방식을 사용하기 때문이다.

4. 숫자가 커지면 자동으로 삭제되는 특정한 규칙에 따라 작동하는 소프트웨어를 사용하기 때문이다.

[정답]

2. 수학적 원리인 모듈러 연산을 사용해 큰 숫자를 일정한 범위 내로 변환하기 때문이다.

[해설]

모듈러 연산이란 수학에서 중요한 개념으로, 큰 숫자를 다룰 때 그 크기를 일정한 범위 내로 유지하게 하는 연산이다. 주어진 숫자를 어떤 값으로 나눈 나머지를 계산하는 방식이며 나머지 값은 모듈러 연산의 결과가 된다. 예를 들어, 숫자 1,234,567을 1,000,000으로 나눈 나머지는 234,567이다. 이처럼 모듈러 연산을 사용하면 아무리 큰 숫자라도 특정한 범위 내의 숫자로 유지할 수 있다.

모듈러 연산은 계산의 복잡성을 줄이고, 숫자의 크기를 제한하는 데 유용하다. 특히 암호화, 컴퓨터 과학, 통신 등의 분야에서 자주 사용된다. 모듈러 연산의 가장 큰 특징은 큰 숫자가 주어진 범위 내에서 반복적으로 순환한다는 것이다. 예를 들어, 숫자 1,000,000으로 모듈러 연산을 할 경우, 1,000,001은 1과 같고, 2,000,001은 1과 같은 식으로 반복된다. 이 주기성 때문에 큰 숫자가 처리하기 쉬운 작은 숫자로 변환될 수 있다.

비밀 조직 에노그마가 사용한 방식은 바로 이 모듈러 연산이다. 큰 숫자를 1,000,000으로 나눈 나머지를 구함으로써, 항상

1,000,000 이하의 숫자로 변환할 수 있었다. 이는 큰 숫자를 효과적으로 다루면서도 작은 숫자만을 사용하여 데이터를 관리하는 방법이었다.

이와 같은 방식은 암호화 기술에서도 중요한 역할을 한다. RSA 암호화 같은 경우, 매우 큰 숫자를 사용하여 데이터의 안전성을 확보하지만, 실제로는 모듈러 연산을 통해 이러한 숫자를 관리하고 암호를 해독하는 과정에서 숫자의 크기를 제한한다.

모듈러 연산의 또 다른 중요한 활용 사례는 시간 계산에서 찾을 수 있다. 예를 들어, 시계의 시간은 24시간을 기준으로 반복되며, 이때 시계가 한 바퀴를 돌면 다시 원래의 위치로 돌아오는 것처럼 모듈러 연산도 같은 방식으로 특정 범위 내에서 반복된다. 예를 들어, 현재 시각이 25시라면, 이는 1시와 같다는 의미이다.

모듈러 연산은 이러한 주기성과 반복성을 이용하여 데이터를 관리하고, 큰 숫자를 작은 범위 내에서 처리할 수 있게 해준다. 따라서 에노그마 조직은 큰 숫자가 무한정 커질 걱정 없이, 작은 숫자로 데이터를 안전하게 처리할 수 있었다. 큰 숫자를 다루는 데 있어 모듈러 연산의 원리를 이해하고 활용하면, 복잡한 계산 문제도 효과적으로 해결할 수 있다.

어느 날, 경험 많은 IT 전문가 김씨는 컴퓨터 고전 동호회에서 '타임스탬프의 기원'에 대해 이야기를 나누다가, 한 회원으로부터 흥미로운 이야기를 듣게 되었다. 그 회원은 "왜 타임스탬프가 1970년 1월 1일을 기준으로 시작하는지 아시나요?"라고 물었다. 김씨는 UNIX가 1970년에 출시된 것으로 알고 있었으나, 회원은 그게 전부가 아니라고 했다.

그는 "UNIX 개발자들이 시간을 다루던 방법에 큰 문제가 있었다고 들었네. 1960년대 후반에 여러 시간 기준점을 실험했는데, 그 중에서 1970년이 가장 이상적이라고 판단했지. 그리고 음모론자들 사이에서는 그 시점이 어떤 중요한 사건과 연결된다고도 하더군."이라고 말했다.

김씨는 이 이야기를 듣고 나서, 타임스탬프가 1970년부터 시작하게 된 진짜 이유를 찾아보기로 결심했다. 김씨가 찾아본 정보에 따르면, 다음 중 타임스탬프가 1970년 1월 1일을 기준으로 시작하게 된 가장 적합한 이유는 무엇인가?

1. 1970년이 UNIX 시스템의 최초 출시년도로, 그 시점을 기준으로 삼았다.

2. 1970년이 그 당시의 기술적 한계 내에서 시간을 안정적으로 관리할 수 있는 적당한 시점이었다.

3. 1970년은 전 세계 시간대 표준화가 시작된 해로, 이를 기준으로 삼았다.

4. 1970년이 미국 정부의 비밀 프로젝트와 관련된 중요 날짜였기 때문에 선택되었다.

[정답]
2. 1970년이 그 당시의 기술적 한계 내에서 시간을 안정적으로
   관리할 수 있는 적당한 시점이었다.

[해설]
타임스탬프가 1970년 1월 1일을 기준으로 시작한 이유는 UNIX
시스템의 최초 출시 연도와는 무관하다. UNIX는 1970년이 아니
라 그 이전부터 개발되고 있었으며, 1970년 1월 1일을 기준으로
한 것은 단지 편의성과 기술적 요구에 맞춰진 것이었다.

1970년대 초반, UNIX 개발자들은 시스템에서 시간을 관리하는
문제에 직면했다. 당시에는 여러 가지 시간 기준을 실험했으나,
기술적으로 가장 적절하고, 오랫동안 안정적으로 사용할 수 있는
기준점으로 1970년 1월 1일을 선택했다. 이 날짜는 단순히 실용
적인 이유로 선택된 것이며, 특정 사건이나 프로젝트와 직접적인
연관은 없었다.

시간을 관리하는 데 있어서, 특정한 날짜를 기준으로 초 단위로
시간을 측정하는 것이 필요했다. 이때 UNIX 개발자들은 1970년
을 선택하여, 그 시점부터 초 단위로 시간을 카운트하는 방법을
도입했다. 이로 인해 컴퓨터 시스템에서 시간을 처리하고 관리하
는 방식이 훨씬 간단하고 효율적으로 되었다.

특히, 당시 컴퓨터 시스템은 32비트 환경에서 운영되었고, 시간을 32비트 정수로 관리하는 방식이 주로 사용되었다. 1970년을 기준으로 하면, 상당히 긴 시간 동안(대략 68년) 오버플로우 없이 안정적으로 시간을 기록하고 관리할 수 있었다. 이런 이유로 1970년 1월 1일이 기준점으로 채택된 것이다.

따라서 UNIX 에포크, 즉 시간을 측정하는 기준점을 1970년 1월 1일로 설정한 것은 기술적인 이유와 효율성 때문이었다. 이는 UNIX 시스템이 시간을 관리하는 방식을 간소화하고, 오랜 기간 동안 신뢰성 있게 운영할 수 있도록 한 중요한 결정이었다. 현재도 많은 시스템이 이 기준을 따르고 있으며, 이는 시간 관리의 표준이 되었다.

따라서, 타임스탬프가 1970년 1월 1일을 기준으로 시작하게 된 가장 타당한 이유는 기술적인 필요성과 효율성을 고려한 것이었다. 이는 당시 UNIX 시스템 개발자들의 판단에 의해 결정된 것이며, 그 외에 특별한 의미나 음모론적인 이유는 없다.

『 93 』

어느 낮, 갑자기 전 세계의 컴퓨터 시스템이 혼란에 빠졌다. 이유는 다름 아닌 2038년 1월 19일 오전 3시 14분 7초가 되면서 UNIX 에포크가 넘쳤기 때문이다. 이 사건으로 인해 여러 금융기관, 교통 시스템, 통신망 등이 마비되었다. 정부는 신속하게 대처하려 했지만, 문제는 생각보다 심각했다. 그러던 중 한 해커 그룹이 이 사건이 발생하기 10년 전부터 이 순간을 준비해왔다는 사실이 밝혀졌다. 이 그룹은 UNIX 에포크가 넘치는 순간에 발생할 혼란을 이용해 대규모 금융 사기를 계획하고 있었다. 이 상황에서 정부는 어떻게 해야 혼란을 최소화하고 시스템을 정상화할 수 있을까?

1. 즉시 모든 시스템의 타임스탬프를 1970.01.01.로 되돌린다.

2. 모든 시스템을 오프라인으로 전환하고 수동으로 시간을 업데이트한다.

3. 기존 시스템을 폐기하고 새로운 64비트 시스템으로 교체한다.

4. 해커의 계획을 추적하여 사기를 막고 시스템을 패치한다.

[정답]
4. 해커의 계획을 추적하여 사기를 막고 시스템을 패치한다.

[해설]
UNIX 에포크 문제는 흔히 '2038년 문제'로 불린다. 이는 UNIX 시스템에서 사용하는 32비트 시간 표현 방식이 2038년 1월 19일 오전 3시 14분 7초를 넘기면서 발생하는 문제이다. 이 문제는 UNIX 시스템의 타임스탬프가 1970년 1월 1일부터 초 단위로 계산되기 때문에 발생한다. 32비트 시스템에서 표현할 수 있는 최대 시간은 약 2,147,483,647초로, 이는 2038년 1월 19일 오전 3시 14분 7초에 해당한다. 이 순간을 넘기면 시간이 가장 작은 값의 음수로 바뀌면서 시스템 오류가 발생하게 된다.

이 문제를 해결하기 위해선 여러 가지 방법이 있다. 첫 번째 선택지인 모든 시스템의 타임스탬프를 1970년 1월 1일로 되돌리는 것은 문제를 일시적으로 피할 수는 있지만, 근본적인 해결책이 아니다. 타임스탬프를 되돌리면 시스템의 데이터 무결성이 훼손될 수 있으며, 오히려 더 큰 혼란을 초래할 수 있다.

두 번째 선택지인 모든 시스템을 오프라인으로 전환하고 수동으로 시간을 업데이트하는 것은 매우 비효율적이고 위험하다. 수동으로 모든 시스템을 업데이트하는 것은 엄청난 시간과 인력이 필요하며 이 과정에서 발생할 수 있는 실수는 치명적일 수 있다.

세 번째 선택지인 기존 시스템을 폐기하고 새로운 64비트 시스템으로 교체하는 것은 장기적인 해결책이 될 수 있다. 64비트 시스템에서는 시간 표현 범위가 훨씬 넓어지기 때문에 2038년 문제를 피할 수 있다. 하지만 이 방법은 비용이 많이 들고, 모든 시스템을 한꺼번에 교체하는 것은 현실적으로 어려울 수 있다.

네 번째 선택지인 해커 그룹의 계획을 추적하여 사기를 막고 시스템을 패치하는 것이 가장 적절한 해결책이다. 먼저 해커 그룹의 계획을 저지하여 금융 사기를 막아야 한다. 이를 위해서는 정부와 사이버 보안 기관의 신속하고 정확한 대응이 필요하다. 동시에 시스템을 패치하여 타임스탬프 문제를 해결해야 한다. 64비트 시스템으로 업그레이드하거나, 소프트웨어 패치를 통해 시간을 적절하게 처리할 수 있도록 수정하는 것이 필요하다.

2038년 문제는 단순한 시스템 오류가 아니라 전 세계의 여러 중요한 시스템에 영향을 미칠 수 있는 심각한 문제이다. 이를 해결하기 위해서는 사전에 철저한 준비가 필요하며, 문제 발생 시 신속하고 정확한 대응이 중요하다. 해커 그룹의 계획을 막고 시스템을 패치하는 것은 이러한 대응의 일환이다.

『 94 』

한적한 밤, IT 전문가 정우는 오래된 컴퓨터를 수리하고 있었다. 이 컴퓨터는 2001년에 출시된 윈도우 XP 운영 체제를 사용 중이었다. XP는 당시 최첨단 시스템이었다. 그러나 시간이 흐르며 더 큰 용량의 파일을 처리해야 하는 문제가 생겼다. 고객은 최근 대규모 데이터를 저장하고 분석할 필요가 있었고, 정우는 이 문제를 해결하기 위해 64비트 시스템으로 업그레이드를 고려하고 있었다. 고객은 정우에게 "64비트 시스템으로 바꾸면 어떤 점이 더 나아질까요?"라고 물었다. 정우가 이러한 고객의 질문에 대답하기에 가장 적합한 내용은 무엇일까?

1. 64비트 시스템은 더 많은 메모리를 지원하여, 대규모 데이터를 더 효율적으로 처리할 수 있습니다.
2. 32비트 시스템은 64비트 시스템보다 안정적이어서 새로운 하드웨어와도 더 잘 호환됩니다.
3. 64비트 시스템은 32비트 시스템보다 더 많은 소프트웨어를 동시에 실행할 수 있습니다.
4. 32비트 시스템은 보안이 더 강화되어, 64비트 시스템보다 해킹에 더 안전합니다.

[정답]

1. 64비트 시스템은 더 많은 메모리를 지원하여, 대규모 데이터를 더 효율적으로 처리할 수 있습니다.

[해설]

정우가 마주한 상황에서 64비트 시스템으로 업그레이드를 고려하는 것은 매우 타당하다. 64비트와 32비트 시스템의 주요 차이는 주로 시스템이 처리할 수 있는 데이터의 양과 메모리 접근 방식에 있다.

1. 메모리 접근 한계: 32비트 시스템은 최대 4GB의 RAM을 지원한다. 이는 32비트 시스템이 32개의 비트(bit), 즉 4바이트(Byte)의 주소 공간을 사용하여 메모리를 참조할 수 있기 때문이다. 그래서 최대 주소 공간은 4GB로 한정된다. 반면, 64비트 시스템은 64개의 비트를 사용하여 메모리를 참조할 수 있기 때문에 이론적으로 최대 16엑사바이트(16EB)의 RAM을 지원한다. 이는 32비트 시스템의 한계를 훨씬 초과하는 용량이다.

2. 대용량 데이터 처리: 고객이 대규모 데이터를 처리할 필요가 있다고 언급한 것은 기존의 32비트 시스템이 이러한 데이터를 효율적으로 처리하지 못한다는 것을 의미한다. 32비트 시스템에서는 큰 파일을 처리할 때 메모리 한계로 인해 성능 저하가 발생할 수 있다. 그러나 64비트 시스템에서는 훨씬 더 큰 메모리 용량을

활용할 수 있기 때문에, 대용량 데이터를 보다 효율적으로 처리할 수 있다.

3. 기술적 발전: 윈도우 XP는 2001년에 출시된 운영 체제로, 32비트 아키텍처를 기반으로 하고 있다. 당시는 4GB 이상의 메모리를 사용하는 애플리케이션이 드물었기 때문에 32비트 시스템이 충분했다. 하지만 현재는 대규모 데이터 처리와 고사양 애플리케이션이 일반적이기 때문에, 더 많은 메모리와 효율적인 데이터 처리 능력을 제공하는 64비트 시스템이 필수적이다.

선택지 2에서 언급한 새로운 하드웨어와의 호환성은 일반적으로 64비트 시스템이 더 유리하기에 잘못된 주장이다. 64비트 시스템은 최신 기술과의 호환성이 좋으며, 오래된 하드웨어와도 적합한 드라이버를 통해 대체로 문제없이 사용할 수 있다.

선택지 3에서 말한 더 많은 소프트웨어 실행 가능성은 부분적으로 맞는 말이지만, 32비트 시스템에서도 다수의 소프트웨어를 실행할 수 있다. 핵심 차이는 메모리 접근 범위와 데이터 처리 능력에 있다.

선택지 4에서 언급한 보안 강화는 실제로는 64비트 시스템이 더 강력한 보안 기능을 제공한다. 예를 들어, 64비트 운영 체제에서는 데이터 실행 방지(DEP)와 같은 추가 보안 기능이 기본적으로 활성화되어 있다.

따라서, 정우가 고객에게 설명해야 할 가장 중요한 내용은 64비트 시스템이 더 많은 메모리를 지원하여 대규모 데이터를 더 효율적으로 처리할 수 있다는 점이다. 이는 고객이 필요로 하는 대규모 데이터 저장 및 분석 작업에 필수적이며, 시스템 성능을 크게 향상시킬 수 있다. 64비트 시스템의 이러한 장점은 현재 IT 환경에서 매우 중요한 요소이며, 특히 데이터 처리 능력이 중요하다면 더 그렇다.

『 95 』

2010년대 초, 한 대형 금융회사는 경쟁사보다 앞서 나가기 위해 당시 최신 기술인 Silverlight를 도입해 웹 기반의 금융 거래 플랫폼을 구축하기로 결정했다. Silverlight는 마이크로소프트가 개발한 리치 인터넷 애플리케이션(RIA) 기술로, 당시에 꽤나 인기를 끌었다. 개발팀은 수많은 온라인 서비스를 최신 기술인 Silverlight로 전환하는 대규모 프로젝트를 시작했다. 프로젝트는 성공적으로 완료되어 새로운 시스템이 런칭되었지만, 불과 몇 년 후 마이크로소프트가 Silverlight의 지원을 중단하면서 상황이 급변했다. 이제 유지보수팀은 지원이 중단된 기술로 인해 매번 새로운 문제에 직면하게 되었다. 그 결과 회사는 막대한 비용을 들여 시스템을 완전히 재구축해야 했다. 이 사건에서 가장 큰 문제를 일으킨 결정은 무엇이었을까?

1. 최신 기술인 Silverlight를 도입한 결정

2. 금융 거래 플랫폼을 전면 개편한 결정

3. 유지보수팀의 대응 방식

4. 시스템 재구축을 결정한 것

[정답]
1. 최신 기술인 Silverlight를 도입한 결정

[해설]
이 사건의 가장 큰 문제는 당시 최신 기술인 Silverlight를 도입한 결정이었다. Silverlight는 도입 당시 최신 기술로 주목받았지만 마이크로소프트가 지원을 중단하면서 큰 문제로 이어졌다.

Silverlight는 마이크로소프트가 2007년에 발표한 기술로, 리치 인터넷 애플리케이션을 쉽게 개발할 수 있도록 해주는 플랫폼이다. 당시에 Flash의 대안으로 많은 기대를 받았다. 특히 미디어 스트리밍과 그래픽 처리에서 강점을 보였다. 금융회사는 이러한 장점을 보고 Silverlight를 도입하기로 결정했다. 웹 기반의 금융 거래 플랫폼을 Silverlight로 전환하면 사용자에게 더 나은 경험을 제공할 수 있을 것으로 판단한 것이다.

프로젝트는 성공적으로 완료되었고 새로운 시스템은 런칭 초기에는 안정적으로 작동했다. 그러나 2013년, 마이크로소프트가 HTML5의 부상과 더불어 Silverlight의 지원을 점차 중단하기로 하면서 문제가 발생하기 시작했다. HTML5는 브라우저에서 플러그인 없이 다양한 멀티미디어 콘텐츠를 지원할 수 있어 Silverlight와 같은 기술의 필요성이 축소되었다. 이로 인해 해당 기술의 사용자와 개발자 커뮤니티도 급격히 줄어들었다.

이런 상황에서, 유지보수팀은 Silverlight의 지원이 중단된 상황에서 시스템을 유지보수하는 데 큰 어려움을 겪었다. 새로운 브라우저 버전과의 호환성 문제가 계속 발생했고, Silverlight와 관련된 보안 업데이트도 제공되지 않아 시스템은 점점 더 취약해졌다. 이로 인해 금융회사는 고객의 불만과 시스템 장애를 지속적으로 경험하게 되었다.

결국, 금융회사는 이러한 문제들을 해결하기 위해 막대한 비용을 들여 시스템을 완전히 재구축하기로 했다. 이는 새로운 기술을 도입하는 데 있어서 신중하게 접근해야 한다는 중요한 교훈을 남겼다. 기술의 수명 주기와 지원 여부를 고려하지 않고 도입된 최신 기술은 단기적으로는 성공을 가져올 수 있지만 장기적으로는 큰 문제를 초래할 수 있다. 특히, 금융과 같은 민감한 분야에서는 더욱 신중한 접근이 필요하다.

이 사건은 또한 유지보수가 얼마나 중요한지 보여준다. 새로운 기술을 도입할 때는 유지보수팀이 해당 기술에 대한 충분한 이해와 경험을 갖추고 있어야 하며 기술 지원이 중단될 경우에도 대비책을 마련해두는 것이 중요하다. 그렇지 않으면 도입 당시의 기대와는 달리 기술이 문제가 되어 시스템 전체에 큰 영향을 미칠 수 있다.

서버 담당자인 김씨는 어느 IT 회사에서 일하고 있다. 어느 날, 회사 네트워크가 이상하게 느려지고 서버가 과부하 상태에 빠졌다. 김씨는 문제가 있는 서버를 점검한 결과 일반적으로 사용하지 않는 프로세스가 CPU를 거의 100% 사용하고 있다는 사실을 발견했다. 이어서 로그를 확인해 봤더니 외부로 많은 데이터가 전송되고 있음을 확인했다. 더 깊이 조사해 보니 이 프로세스는 회사의 허가 없이 설치된 크립토재킹 프로그램이었다. 회사 서버를 이용해 도지코인을 채굴하고 있었다.

김씨는 이를 해결하기 위해 문제의 프로그램을 제거하고 보안 패치를 하는 등의 조치를 하였다. 그는 회사 내에 있는 어떤 사람의 행동이 의심스러워졌다. 다음 중 김씨가 이번 크립토재킹 사건의 전말을 파악하기 위해 가장 먼저 확인해야 할 것은?

1. 서버가 사용 중인 운영 체제의 업데이트 상태를 확인한다.

2. 회사 내 사용자의 이메일 계정을 통한 피싱 공격 여부를 조사한다.

3. 서버에 접근할 수 있는 모든 관리자 계정을 조사하여 최근의 활동 기록을 분석한다.

4. 회사 네트워크 전체의 트래픽을 분석하여 외부로 나가는 비정상적인 연결을 추적한다.

3. 서버에 접근할 수 있는 모든 관리자 계정을 조사하여 최근의
   활동 기록을 분석한다.

[해설]
크립토재킹은 해커가 불법적으로 다른 사람의 컴퓨터 자원을 사용해 암호화폐를 채굴하는 공격 방식이다. 크립토재킹은 주로 웹사이트나 소프트웨어에 일정한 스크립트를 숨겨 놓아 사용자 모르게 암호화폐를 채굴하게 한다. 이렇게 하면 사용자의 컴퓨터나 서버가 느려지고, 전력 소비가 급격히 증가하며, 장비가 과부하 상태에 빠질 수 있다.

회사 네트워크에서 크립토재킹 활동을 발견되었다는 것은 회사 내 누군가가 내부 시스템에 설치했거나, 아니면 외부 해커가 회사 시스템에 무단으로 접근해 크립토재킹 프로그램을 설치했을 가능성을 의미한다. 따라서 김씨는 크립토재킹 프로그램이 설치된 경위를 파악하기 위해 가장 먼저 서버 접근 권한을 가진 관리자 계정의 최근 활동 기록을 조사해야 한다.

관리자 계정은 시스템에 대한 높은 접근 권한을 가지고 있기 때문에, 해커가 먼저 노리는 대상 중 하나이다. 그러므로 관리자 계정의 활동 기록을 분석하면 누가 어떤 경로로 크립토재킹 프로그램을 설치했는지 추적할 수 있다. 이를 통해 김씨는 해커가 어

떤 방식으로 서버에 접근했는지 파악할 수 있으며, 내부자의 개입 여부를 확인할 수도 있다.

1. 2. 서버가 사용 중인 운영 체제의 보안 업데이트 상태를 확인하는 것도 중요하다. 그러나 이는 크립토재킹 프로그램이 설치된 후의 조치이므로, 실제 공격 경로를 추적하는 데는 직접적인 도움이 되지 않는다. 피싱 공격 여부를 조사하는 것도 유효한 방법이지만, 이번 사건에서는 서버에 직접 설치된 크립토재킹 프로그램을 발견했으므로, 피싱 공격보다는 서버의 관리자 계정을 이용했을 가능성을 먼저 고려해야 한다.

4. 네트워크 트래픽을 분석하는 것도 중요하다. 그러나 이것은 해커가 외부로 데이터를 전송하고 있는 것을 확인하는 방법이지, 크립토재킹 프로그램이 어떻게 설치되었는지를 파악하는 데는 제한적이다. 네트워크 트래픽 분석은 추가적인 단서가 될 수 있지만, 기본적으로 관리자 계정의 활동 기록을 먼저 확인하여 어떤 행위가 있었는지를 파악하는 것이 우선이다.

결론적으로, 김씨는 크립토재킹 사건의 전말을 파악하기 위해 서버에 접근할 수 있는 관리자 계정의 활동 기록을 철저히 분석해야 한다. 이를 통해 해커가 어떤 방식으로 내부 시스템에 접근했는지 파악할 수 있으며, 이후 보안 조치를 통해 재발을 방지할 수 있다.

매일 더 똑똑해지는 IT 교양서
ZERO TO ONE

공식 카페 접속하기

어느 날, AI 개발자인 혜진은 새로운 머신러닝 모델을 도입한 프로젝트를 시작했다. 이 모델은 초기 학습 데이터가 부족하여 예측 정확도가 낮았다. 팀원들은 매일 새로운 데이터를 수집하고 모델을 다시 훈련시켰다. 시간이 지나면서 모델의 성능이 점차 향상되기 시작했다. 처음에는 많은 오류가 발생하고 시간이 갈수록 오류가 줄어들면서 정확도가 높아졌다.

혜진은 회의 중 팀원들에게 이렇게 말했다. "모델의 성능이 초기에는 낮았지만, 학습 데이터가 늘어나면서 성능이 향상되는 것을 보면 우리 모델은 명확한 러닝 커브를 그리고 있는 것 같아."

다음 중 혜진이 말한 '러닝 커브'의 의미를 가장 잘 설명하는 것은 무엇일까?

1. 모델의 학습 데이터가 많아질수록 성능이 향상되는 현상
2. 초기 성능이 낮더라도 시간이 지나면서 안정적으로 유지되는 현상
3. 학습 데이터가 부족해도 높은 성능을 보이는 현상
4. 특정 시간 이후 성능이 급격히 떨어지는 현상

[정답]
1. 모델의 학습 데이터가 많아질수록 성능이 향상되는 현상

[해설]
러닝 커브(Learning Curve)란 학습이나 경험을 통해 성능이 어떻게 변하는지를 나타내는 그래프이다. 이 그래프는 주로 x축에 시간(Time)이나 경험(Experience), y축에 성능(Performance)이나 학습 효율(Learning Efficiency)을 표시하여 학습의 변화를 시각적으로 보여준다.

혜진의 사례에서 초기 데이터가 부족할 때 모델의 성능이 낮았지만, 시간이 지나면서 데이터를 더 많이 수집하고 학습하면서 성능이 향상된 것은 전형적인 러닝 커브의 예이다. 초기의 낮은 성능과 시간이 지남에 따라 성능이 향상되는 것은 러닝 커브의 특징이다. 혜진의 팀이 경험한 것은 양의 러닝 커브(Positive Learning Curve)로, 시간이 지남에 따라 성능이 점점 더 향상되는 모습을 보여준다.

러닝 커브는 학습의 진전도를 두 가지 형태로 나타낼 수 있다. 첫 번째는 양의 기울기를 가지는 경우로, 이는 시간이 지남에 따라 학습이나 경험이 축적되어 성능이 향상되는 것을 의미한다. 두 번째는 음의 기울기를 가지는 경우로, 이는 시간이 지남에 따라 성능이 감소하거나 학습 효과가 떨어지는 경우를 의미한다.

혜진의 팀이 겪은 상황은 양의 러닝 커브를 보여준다. 초기에는 학습 데이터가 부족하여 모델의 예측 정확도가 낮았지만, 시간이 지나면서 점차 많은 데이터를 수집하고 학습함에 따라 모델의 성능이 향상되었다. 이러한 현상은 러닝 커브의 전형적인 예시로, 데이터 양이 늘어나고 학습이 진행됨에 따라 성능이 개선된다는 것을 보여준다.

러닝 커브는 모델의 학습뿐만 아니라 다양한 분야에서 관찰될 수 있다. 예를 들어, 새로운 기술을 배우는 과정에서도 러닝 커브가 나타난다. 처음에는 기술을 익히는 데 시간이 오래 걸리고 실수가 잦지만, 반복 연습을 통해 점차 익숙해지면서 능숙해지는 것이다. 또한, 기업의 생산성 향상 과정에서도 러닝 커브가 나타난다. 새로운 생산 공정을 도입하면 초기에는 생산 효율이 낮을 수 있지만 점차 작업자들이 공정에 익숙해지고 개선점을 찾아내면서 생산성이 향상되는 것이다.

러닝 커브의 중요성은 학습과 발전의 과정을 시각적으로 이해할 수 있다는 점에 있다. 이를 통해 초기의 어려움을 극복하고 지속적인 노력으로 성과를 향상시킬 수 있다는 믿음을 가질 수 있다. 혜진의 팀이 초기에 많은 오류와 낮은 성능을 경험했음에도 불구하고 포기하지 않고 지속해서 자료를 수집하고 학습을 반복한 결과, 모델의 성능이 향상되었다. 이는 러닝 커브가 보여주는 긍정적인 변화의 대표적인 예라 할 수 있다.

『 98 』

어느 한적한 저녁, 지수는 인적이 드문 카페에서 노트북으로 논문을 작성하고 있었다. 주변은 조용하고, 창 밖으로는 어둑어둑한 가로등이 희미한 빛을 비추고 있었다. 지수는 논문의 참고 자료로 인터넷에서 다양한 사이트를 검색하고 있었다. 그때, 친구 윤수가 급하게 카페로 들어왔다. 윤수는 다급한 표정으로 "지수야, 너 단축 주소 잘 알아? 우리 회사 메일로 단축 주소가 하나 왔고 클릭했는데 이상한 사이트로 연결됐어. 뭔가 수상한데 괜찮은지 모르겠어"라고 말했다. 지수는 윤수의 설명을 듣고, 단축 주소가 악성 링크로 활용된 것일 수 있다고 생각했다.

지수는 윤수의 이야기를 듣고, 단축 주소를 확인하여 심각성을 판단하기로 했다. 그녀는 자신의 노트북을 사용해 단축 URL을 분석하기 시작했다. 그리고 단축 주소의 원리를 알려주며 윤수에게 가장 먼저 해야 할 일을 말해주었다. 다음 중 지수가 할 말로 가장 적합한 것은?

1. 단축 URL의 원본 URL을 파악한 후, 해당 URL을 조사하여 안전 여부를 확인한다.

2. 단축 URL을 생성한 서비스를 찾아 신고하고, 해당 서비스에 경고한다.

3. 이메일을 받은 모든 사람에게 단축 URL을 절대 클릭하지 말라고 알린다.

4. 단축 URL을 웹사이트의 방화벽에 추가하여 차단한다.

1. 단축 URL의 원본 URL을 파악한 후, 해당 URL을 조사하여 안전 여부를 확인한다.

단축 URL은 긴 URL을 짧게 줄여주는 서비스로, URL을 공유하거나 쉽게 입력하기 위해 사용된다. 예를 들어, https://example.com/very/long/url/path과 같은 긴 URL을 https://bit.ly/abc123와 같은 짧은 형태로 변환한다. 이렇게 단축된 URL을 클릭하면 단축 URL 제공자의 서버로 요청이 전달되고, 원본 URL로 리디렉션되면서 사용자는 최종 사이트에 도달하게 된다.

단축 URL은 편리하지만, 일부 보안상 위험이 존재한다. 예를 들면, 피싱 사이트나 악성 코드가 포함된 웹사이트로 연결될 수 있다. 단축 URL만으로는 원본 URL을 알 수 없기 때문에 사용자는 해당 URL을 클릭하기 전에 신뢰할 수 있는지 여부를 판단하기 어렵다. 단축 URL이 악의적으로 사용될 경우, 사용자는 의도치 않게 위험한 사이트에 접속할 가능성이 있다.

지수가 윤수에게 가장 먼저 해야 할 일로 조언한 것은 단축 URL의 원본 URL을 파악하고, 그 URL을 조사하여 안전 여부를 확인하는 것이다. 그 이유는 다음과 같다:

1. 단축 URL의 원본 URL 파악: 단축 URL의 원본 URL을 확인하기 위해, URL 확장 서비스를 이용할 수 있다. 예를 들어, https://checkshorturl.com 같은 사이트를 사용하여 단축 URL을 입력하면, 원본 URL을 확인할 수 있다. 이 과정을 통해 단축 URL이 실제로 어떤 사이트로 연결되는지 확인할 수 있다.

2. 원본 URL 조사: 원본 URL을 확인한 후, 이를 조사하여 해당 URL이 안전한지 여부를 확인해야 한다. 이를 위해 URL 분석 도구를 사용할 수 있다. 예를 들어, https://www.virustotal.com과 같은 온라인 분석 도구를 사용하면, URL이 악성 코드를 포함하고 있는지, 피싱 사이트인지 등의 정보를 제공한다. 이러한 도구는 URL을 입력하면 해당 URL이 안전한지 여부를 검사하고, 결과를 제시한다.

3. 단축 URL의 위험성 평가: 단축 URL이 안전한 사이트로 연결되면 추가적인 조치는 필요 없다. 그러나 악성 사이트로 확인되면, 이를 즉시 차단하고, 문제를 해결하기 위한 추가적인 조치를 취해야 한다. 상황에 따라서는 URL을 생성한 서비스를 신고하거나 이메일을 받은 모든 사람에게 단축 URL을 클릭하지 말라고 알리는 조치 등이 포함될 수 있다.

4. 방화벽 설정: 단축 URL이 악성 사이트로 연결되는 경우, 사내 방화벽에 해당 URL을 추가하여 차단할 수 있다. 이를 통해 해당

URL로의 접속을 막고 추가적인 보안 위협을 방지할 수 있다.

지수는 단축 URL의 위험성을 잘 이해하고 있었기 때문에, 윤수에게 가장 먼저 원본 URL을 파악하고, 이를 조사하여 안전 여부를 확인하는 것이 중요하다고 조언했다. 이를 통해 윤수는 문제의 심각성을 파악할 수 있었고, 이후 필요한 보안 조치를 취할 수 있었다. 단축 URL을 사용할 때는 항상 그 링크가 안전한지 신중하게 확인해야 한다는 점을 지수는 윤수에게 강조했다. 이러한 과정을 통해 지수는 윤수가 단축 URL을 보다 안전하게 사용할 수 있도록 도와주었다.

『 99 』

한적한 주말 저녁, 김 대리는 회사에서 급히 온 이메일을 확인했다. 시스템 점검이 필요하다는 내용이었다. 이메일에는 중요한 지시 사항이 포함되어 있었다. "li와 Il 파일을 변경해야 합니다. l과 i를 혼동하지 않도록 주의하십시오." 김 대리는 이메일 내용을 확인하며 파일 이름들을 천천히 살펴보기 시작했다. 갑자기 김 대리의 눈에 여러 파일 이름들이 겹쳐 보이며 혼란스러워졌다. "il_list.txt", "Il_info.docx", "li_report.pdf" 등 파일들이 있었고, 김 대리는 제대로 된 파일을 변경해야만 했다.

김 대리는 이 파일들 중 정확한 파일을 변경하기 위해 어떤 방법을 사용해야 할까?

1. 파일 이름들을 대문자와 소문자를 구분하지 않고 읽어 본다.

2. 파일 이름들을 한 글자씩 발음해 본다.

3. 파일 이름들을 비슷한 모양의 글자로 대체해 본다.

4. 파일 이름들을 글꼴을 변경하여 명확히 확인한다.

[정답]
4. 파일 이름들을 글꼴을 변경하여 명확히 확인한다.

[해설]
김 대리가 혼란스러워했던 이유는 파일 이름에 포함된 'l'과 'i' 문자가 서로 비슷하게 생겨 혼동을 일으키기 때문이다. 이는 IT 분야에서 자주 발생하는 문제로, 특히 코드나 파일명을 다룰 때 주의가 필요하다. 이를 해결하기 위해서는 문자들이 더 명확하게 구분될 수 있도록 하는 방법을 사용해야 한다.

첫 번째 선택지인 "파일 이름들을 대문자와 소문자를 구분하지 않고 읽어 본다"는 방법은 오히려 혼동을 더 일으킬 수 있다. 'l'과 'I'는 소문자와 대문자에서 각각 다른 모양이지만 비슷하게 보일 수 있기 때문에 구분하기 어렵다.

두 번째 선택지인 "파일 이름들을 한 글자씩 발음해 본다"는 시각적 혼동을 줄일 수 있지만, 파일 이름을 발음하는 것만으로는 명확히 구분하기 어렵다. 특히 'l'과 'i'는 발음에서도 큰 차이가 없기 때문에 효과적이지 않다.

세 번째 선택지인 "파일 이름들을 비슷한 모양의 글자로 대체해 본다"는 오히려 혼동을 더 키울 수 있다. 비슷한 모양의 글자로 대체하게 되면, 원래 문자와 더 혼동이 발생할 가능성이 크기 때문이다. 이는 잉시적인 해결책일 뿐 근본적인 문제를 해결하지 않는다.

정답인 네 번째 선택지, "파일 이름들을 글꼴을 변경하여 명확히 확인한다"는 방법이 가장 효과적이다. 글꼴을 변경하면 'l'과 'i'와 같은 문자가 더 명확하게 구분될 수 있다. 예를 들어, 세리프 글꼴은 'l'과 'i'의 차이를 명확하게 보여줄 수 있다. 또한, 특정 프로그래밍 글꼴은 이러한 혼동을 방지하도록 디자인되어 있다. 대표적으로 'Consolas', 'Courier New'와 같은 고정폭 글꼴이 있다. 이러한 글꼴은 각 글자가 동일한 너비를 차지하므로 시각적인 혼동을 줄일 수 있다.

파일 이름을 명확히 확인하는 것은 시스템 관리나 프로그래밍에서 중요한 부분이다. 작은 실수가 큰 문제를 초래할 수 있으므로, 이러한 혼동을 피하기 위해 글꼴을 변경하거나 문자의 가독성을 높이는 방법을 사용하는 것이 좋다. IT 분야에서는 특히 이러한 디테일한 실수를 줄이는 것이 중요한데, 이는 전체 시스템의 안정성을 유지하는 데 큰 역할을 한다. 따라서 김 대리가 글꼴을 변경하여 파일 이름을 명확히 확인하는 방법은 적합한 선택이다.

매일 더 똑똑해지는 IT 교양서

ZERO TO ONE

공식 카페 접속하기

『 100 』

철수는 한강에서 대여 자전거를 이용하려고 했다. 스마트폰 앱을 통해 QR 코드를 스캔하자 자전거 잠금이 해제되었다. 철수는 자전거를 타고 목적지로 향하는 도중, 자신의 스마트폰이 이상하게 느리게 작동하는 것을 알아차렸다. 그러다 문득 누군가 자신의 스마트폰을 원격으로 조작하는 듯한 느낌이 들었다. 당황한 철수는 자전거를 세우고 스마트폰을 확인해 보니 낯선 앱이 설치되어 있었다. 이때 철수는 어떤 상황에 겪고 있을 가능성이 높을까?

1. 대여 자전거 시스템의 버그로 인한 오류

2. 스마트폰의 단순한 성능 저하

3. QR 코드 스캔 과정에서 발생한 피싱 공격

4. 대여 자전거 업체의 새로운 기능 테스트

[정답]

3. QR 코드 스캔 과정에서 발생한 피싱 공격

[해설]

철수가 겪은 상황은 QR 코드 스캔 과정에서 발생한 피싱 공격일 가능성이 있다. 피싱 공격은 사용자를 속여 악성 소프트웨어를 설치하거나 민감한 정보를 탈취하는 방식으로 이루어진다. 철수가 QR 코드를 스캔한 후 스마트폰이 이상하게 느려지고 낯선 앱이 설치된 것을 발견한 것은 전형적인 피싱 공격의 징후이다. 이를 전문용어로 큐싱(Qshing)이라고 한다.

먼저 큐싱(QR 코드 피싱)에 대해 이해해보자. QR 코드(Quick Response Code)는 빠른 응답을 의미하며, 스마트폰 카메라를 통해 쉽게 스캔할 수 있는 이차원 바코드이다. 이 QR 코드에는 URL, 텍스트, 연락처 정보 등 다양한 데이터가 저장될 수 있다. 하지만 이러한 편리함 이면에는 보안 위험이 숨어있다. 공격자는 악성 웹사이트로 연결되는 QR 코드를 생성하여 사용자가 스캔하도록 유도할 수 있다.

철수가 자전거 대여 앱을 통해 QR 코드를 스캔했을 때, 실제 대여 시스템의 QR 코드가 아닌, 공격자가 미리 대여 자전거에 부착한 가짜 QR 코드를 스캔했을 가능성이 있다. 이 가짜 QR 코드는 악성 웹사이트로 연결되었고, 철수의 스마트폰에 악성 앱을 설치하도록 유도했다. 그 결과, 철수의 스마트폰은 원격 조작을 당하게 된 것이다.

이 상황에서 철수는 몇 가지 중요한 보안 수칙을 지킬 필요가 있다. 첫째, QR 코드를 스캔하기 전에 반드시 해당 QR 코드가 신뢰할 수 있는 출처인지 확인해야 한다. 대여 자전거의 QR 코드가 원래 위치에 제대로 부착되어 있는지, 혹시 덧붙여진 것은 아닌지 확인하는 것이 좋다. 둘째, QR 코드를 스캔한 후 연결된 웹사이트나 앱이 정상적인지 주의 깊게 살펴봐야 한다. 낯선 웹사이트나 앱이라면 설치를 피하고, 즉시 앱을 종료하거나 브라우저를 닫는 것이 좋다.

또한, 철수는 스마트폰의 보안 설정을 강화하는 것이 필요하다. 알 수 없는 출처의 앱 설치를 차단하고, 정기적으로 안티바이러스 소프트웨어를 업데이트하여 악성 소프트웨어를 탐지하는 것이 중요하다. 만약 이미 악성 앱이 설치되었다면, 이를 제거하고 스마트폰을 초기화하는 것이 안전하다.

결론적으로, 철수의 상황은 QR 코드 스캔 과정에서 발생한 피싱 공격으로 인한 것이다. 이는 현대 사회에서 점점 더 빈번하게 발생하는 사이버 보안 위협 중 하나이다. 사용자는 항상 주의 깊게 행동하고, 보안 수칙을 철저히 준수하여 이러한 공격으로부터 자신을 보호해야 한다.

매일 더 똑똑해지는 IT 교양서
ZERO TO ONE

공식 카페 접속하기

『 101 』

해외에서 운영되는 한 소규모 항공사의 정비 팀장 현수는 최근 항공기 엔진의 고장으로 인해 여러 번 비행 일정이 지연되는 문제를 겪고 있었다. 현수는 이러한 문제를 해결하기 위해 항공기 엔진의 상태를 실시간으로 모니터링할 수 있는 시스템을 도입하려고 한다. 다음 중 어떤 방법이 가장 효율적일까?

1. 항공기 엔진이 고장 날 때마다 즉시 알림을 받는 이벤트 기반 모니터링 시스템을 설치한다.

2. 항공기 엔진의 상태를 일정 간격으로 체크하는 폴링 방식을 사용한다.

3. 모든 비행 데이터를 실시간으로 분석하여 이상 징후가 나타날 때 경고를 보내는 시스템을 구축한다.

4. 정기적으로 엔진 점검을 실시하여 고장을 예방하는 계획을 수립한다.

2. 항공기 엔진의 상태를 일정 간격으로 체크하는 폴링 방식을 사용한다.

현수는 항공기 엔진 고장 문제를 해결하기 위해 효율적인 모니터링 시스템을 도입하고자 한다. 각 항공기 엔진의 상태를 실시간으로 모니터링할 방법 중, 폴링 방식은 일정 간격으로 엔진의 상태를 점검하는 방식이다. 이를 통해 고장이 발생하기 전에 문제를 조기에 발견할 수 있다.

이벤트 기반 모니터링 시스템은 고장이 발생한 후에만 반응하므로, 사전에 문제를 인지하고 예방하는 데 한계가 있다. 이는 항공기와 같은 중요한 시스템에서는 문제가 발생한 시점에 대응하기에는 위험성이 크다.

실시간 비행 데이터 분석 시스템은 매우 복잡하고 비용이 많이 들며, 항공기의 모든 데이터를 실시간으로 처리해야 하기 때문에 소규모 항공사에서는 구현하기 어려울 수 있다. 또한, 이 방식은 데이터의 방대한 양으로 인해 실시간 분석에 과부하가 걸릴 수 있다.

정기적인 엔진 점검은 예방 차원에서 유용하지만, 비행 중에 발생하는 문제를 실시간으로 파악하고 대응하는 데에는 부족하다. 정기 점검만으로는 예기치 않은 고장을 완전히 예방할 수 없으며, 고장 발생 시점을 놓칠 수 있다.

폴링 방식은 엔진의 상태를 주기적으로 확인하여 문제가 발생하기 전에 이를 파악하고 대응할 수 있게 한다. 예를 들어, 항공기의 엔진 상태를 5분마다 체크하도록 설정하면, 특정 시간대나 비행 상황에서 발생하는 문제를 조기에 발견할 가능성을 높일 수 있다. 문제가 발생하기 전에 미리 상태를 확인한다면 적절한 조치를 취할 수 있어 항공기 안전성을 높일 수 있다.

결론적으로, 현수가 항공기 엔진 고장 문제를 효과적으로 모니터링하고 해결하기 위해서는 폴링 방식을 사용하는 것이 가장 효율적이다. 폴링 방식은 주기적으로 엔진의 상태를 확인하여 문제를 조기에 발견하고 대응할 수 있는 장점이 있어 현수가 직면한 문제를 효과적으로 해결할 수 있다.

매일 더 똑똑해지는 IT 교양서
ZERO TO ONE

공식 카페 접속하기

존은 밤늦게까지 회사의 보안 시스템을 점검하던 중, 서버에 저장된 RSA 개인키 파일을 확인하게 되었다. 파일명은 private.key로, 확장자가 .pem이 아니었다. 그럼에도 시스템은 정상적으로 작동하고 있었다. 그러다 문득 존은 "왜 대부분의 RSA 개인키는 .pem 확장자를 사용할까?"라는 의문이 들었다. 다음 중 해당 의문에 가장 적합한 답은 무엇일까?

1. .pem 확장자는 개인키 파일의 사용처를 지정하는데 필요하다.

2. .pem 확장자는 RSA 키 파일이 텍스트 형식임을 알려주기 위해 필요하다.

3. .pem 확장자는 보안 업계에서 RSA 키 파일에 권장하는 표준 확장자이다.

4. .pem 확장자는 RSA 키 파일을 안전하게 저장하는 암호화 방식이다.

[정답]

2. .pem 확장자는 RSA 키 파일이 텍스트 형식임을 알려주기 위해 필요하다.

[해설]

RSA 개인키를 저장할 때 .pem 확장자를 사용하는 이유는 파일이 Base64로 인코딩 된 텍스트 형식이라는 것을 나타내기 위해서다. .pem은 "Privacy-Enhanced Mail"의 약자로, 원래는 이메일을 안전하게 하기 위한 표준이었지만, 현재는 다양한 암호화 데이터를 담는 포맷으로 넓리 쓰이고 있다. RSA 개인키는 주로 Base64로 인코딩된 텍스트 형식으로 저장된다.

존은 파일이 .pem이 아니어도 정상적으로 작동하는 것을 보고 혼란스러웠을 것이다. 실제로 확장자는 파일의 내용이나 기능을 변경하지 않으며, 파일이 어떤 포맷인지 쉽게 식별할 수 있도록 하는 역할을 한다. 파일이 확장자와 다르게 저장되어도 시스템은 파일 내용을 인식하고 처리할 수 있다. 그래서 RSA 암호의 개인키를 private.key 파일에 저장하여도 .pem 확장자를 가진 파일과 동일한 방식으로 작동할 수 있다.

보안 업계에서는 .pem 확장자를 사용하여 파일이 텍스트 형식의 암호화 데이터임을 쉽게 식별할 수 있도록 권장한다. 이는 파일을 확인하는 사람이나 시스템 관리자에게 파일의 성격을 명확히 알려주는 역할을 한다. 예를 들어, .der 파일은 바이너리 형식의 암호화 데이터를 나타내며, 이는 .pem 파일과 다르게 인코딩 방식이 다르다.

존은 RSA 키 파일의 확장자가 특정 방식으로 작동하게 하는 기술적 기능을 가지고 있다고 오해할 수도 있다. 하지만 확장자는 단순히 파일을 식별하는 데 도움을 줄 뿐이다. 보안적인 관점에서 확장자 자체가 파일의 안전성을 강화하지는 않지만, 파일의 처리 방식을 결정할 때 도움이 되는 하나의 단서가 된다.

예를 들어, .pem 파일은 보통 -----BEGIN과 -----END로 표시된 헤더와 푸터가 포함된 텍스트 블록으로 이루어져 있다. 이러한 파일을 열면 쉽게 텍스트 형식임을 알 수 있고, Base64로 인코딩된 데이터를 디코딩하여 키 정보를 얻을 수 있다. 반면에 .der 파일은 바이너리 형식이기 때문에 텍스트 편집기에서 열어도 읽기 어려운 이진 데이터가 보인다.

결론적으로, RSA 개인키 파일이 .pem 확장자를 갖는 이유는 이 파일이 텍스트 형식임을 명확하게 알려주기 위해서다. 이는 파일을 관리하거나 처리하는 사람이 파일의 성격을 쉽게 이해하고, 적절한 방식으로 다룰 수 있도록 도와준다. 따라서 .pem 확장자는 기술적인 필수 요소는 아니지만, 파일의 명확한 식별과 처리에 일정한 역할을 한다.

매일 더 똑똑해지는 IT 교양서

ZERO TO ONE

『 103 』

브래드는 새로 장만한 스마트 홈 카메라를 설치했다. 일단 카메라의 기본 설정을 그대로 두고 사용하고 있었는데, 어느 날 어두운 밤중에 이상한 움직임이 포착되었다. 영상 속에는 자신이 집을 비운 시간대에 누군가가 집 안을 돌아다니는 모습이 담겨 있었다. 놀란 브래드는 그 상황을 파악하기 위해 카메라의 설정을 확인했다. 알고 보니, 기본 비밀번호와 원격 접속이 문제였음을 알게 되었다. 바꿔야지 생각만 하다가 결국 이런 식으로 자신의 프라이버시가 침해될 수도 있다는 사실을 깨닫고, 급하게 비밀번호를 변경하고 보안 설정을 강화했다. 브래드가 이번 사건을 통해 깨달은 내용으로 적합한 것은?

1. 기본 설정된 비밀번호는 누구나 알 수 있는 정보여서 즉시 변경해야 한다.

2. 보안 카메라는 설치만 잘하면 해킹 걱정이 없다.

3. 비밀번호를 자주 변경하는 것은 오히려 불편만 초래한다.

4. 기본 설정을 변경하면 제품의 기능이 제한될 수 있다.

[정답]

1. 기본 설정된 비밀번호는 누구나 알 수 있는 정보여서 즉시 변경해야 한다.

[해설]

브랜드의 사례는 우리가 흔히 간과하기 쉬운 보안의 중요한 측면을 잘 보여준다. 오늘날 대부분의 전자 제품, 특히 인터넷에 연결된 기기들은 사용자 편의를 위해 기본 설정을 제공하고 있다. 예를 들어, 스마트 홈 기기나 보안 카메라의 경우 제조사에서 제공하는 초기 비밀번호나 설정을 사용자가 그대로 사용하게끔 권장하는 경우도 있다. 이는 사용자가 초기 설정 과정에서 겪을 수 있는 불편함을 최소화하기 위함이다. 그러나 이러한 기본 설정이 유지되는 경우 심각한 보안 위협이 발생할 수 있다.

브랜드가 겪은 문제는 기본 설정된 비밀번호의 위험성을 단적으로 보여준다. 보안 카메라와 같은 기기는 인터넷에 연결되어 외부에서 원격으로 접근할 수 있는데, 기본 비밀번호는 일반적으로 공개되어 있거나 예측하기 쉬운 패턴으로 설정되어 있다. 따라서 이러한 비밀번호를 변경하지 않고 그대로 사용하는 것은 누구나 쉽게 해당 기기에 접근할 수 있는 길을 열어주는 것과 같다.

실제로 많은 사이버 범죄가 기본 비밀번호를 이용해 무단으로 접근하는 식으로 이루어지기도 한다. 예를 들어, 2016년에 발생한 대규모 DDoS 공격 사건인 미라이(Mirai) 봇넷 공격은 대부분의 IoT 기기들이 기본 설정된 비밀번호를 사용하고 있다는 점을 악용했다. 이 공격은 전 세계적으로 인터넷을 마비시키는 결과를 초래했으며, 많은 기기가 기본 설정된 비밀번호를 변경하지 않았기 때문에 쉽게 공격에 노출되었다.

기본 비밀번호를 변경하지 않고 사용하면 단순히 개인의 프라이버시 침해뿐만 아니라, 브래드가 경험한 것처럼 자신의 집 내부를 타인에게 노출하여 악용되는 상황이 발생할 수 있다. 또한, 이러한 기기를 시작으로 가정 내 다른 기기들까지 원격 접근할 수 있는 가능성이 생기게 되어 보안 위험이 더욱 커지게 된다.

따라서 기본 설정된 비밀번호나 설정을 변경하는 것은 매우 중요하다. 이렇게 함으로써 예상치 못한 보안 위협을 최소화하고, 기기의 안전성을 높일 수 있다. 특히 인터넷에 연결된 기기는 기본 설정된 비밀번호뿐만 아니라, 원격 접근 등의 기능 역시 반드시 안전한 방법으로 설정해야 한다.

기본 비밀번호를 변경하는 것은 간단한 작업일 수 있지만, 그로 인해 얻게 되는 보안 이점은 매우 크다. 이를 통해 사용자는 더욱 안전하고 안심할 수 있는 환경을 구축할 수 있으며, 개인 정보와 프라이버시를 보호하는 데 도움이 된다.

앨리스는 소프트웨어 유지 보수를 담당하는 미국의 한 IT 회사에서 일하고 있었다. 어느 날, 앨리스는 한 은행으로부터 요청이 하나 들어왔다. 은행의 데이터베이스 시스템이 갑자기 멈추었고 이를 복구하는 것을 봐달라는 것이다. 그러나 해당 시스템은 1980년대에 개발된 메인프레임 컴퓨터에서 돌아가고 있었고, COBOL 언어로 작성된 프로그램을 사용하고 있었다.

은행 측에서는 그동안 데이터를 현대적인 시스템으로 옮기고 싶어 했지만, 시스템을 관리했던 대부분의 인력이 퇴직한 상황이어서 어려움을 겪고 있었던 상황이다.

해당 시스템에는 수백만 고객의 중요한 금융 정보가 담겨 있었기 때문에 신속하고 안전한 복구가 절실했다. 은행은 몇몇 IT 전문 업체와 인원에게 도움을 요청하기도 했지만, 이들은 오래된 시스템과 언어를 이해하지 못해 문제를 해결하기에는 역부족이었다.

앨리스는 과거에 COBOL을 배운 경험이 있었는데, 생각보다 쉽게 해당 시스템에 접근하여 문제를 파악할 수 있었다. 그녀는 데이터베이스의 손상된 부분을 복구하고 시스템을 재가동하여 은행의 업무를 정상화하는 데 성공했다. 은행은 앨리스의 신속한 조치 덕분에 큰 손실을 막을 수 있었고, 그녀는 그 공로로 회사에서 높은 평가와 대우를 받았다. 이 사례를 참고했을 때, 오래된 기술을 배우는 것이 때로는 여전히 유의미한 이유는 무엇일까?

1. 오래된 시스템은 업데이트가 필요 없기 때문이다.

2. 오래된 기술은 여전히 중요한 인프라에서 사용되고 있기 때문이다.

3. 오래된 기술은 쉽게 배울 수 있기 때문이다.

4. 오래된 기술은 최신 기술보다 비용이 저렴하기 때문이다.

[정답]

2. 오래된 기술은 여전히 중요한 인프라에서 사용되고 있기 때문
이다.

[해설]

앨리스의 사례에서 볼 수 있듯이, 오래된 기술을 배우는 것은 여
전히 중요하다. 이는 특히 금융과 같은 중요한 인프라 시스템에서
두드러진다. 많은 은행과 정부 기관은 아직도 1970년대와 1980
년대에 개발된 메인프레임 시스템과 COBOL 같은 오래된 프로그
래밍 언어를 사용하고 있다. 이러한 시스템은 수십 년 동안 지속
적으로 운영되어 왔으며, 그 안정성과 신뢰성이 검증된 상태다.

첫째, 이러한 시스템은 여전히 많은 중요한 데이터를 관리하고 있
다. 예를 들어, 미국의 사회보장국과 같은 기관들은 여전히 COB
OL을 사용하여 대규모 데이터베이스를 관리하고 있으며, 이를 현
대적인 시스템으로 전환하는 데는 막대한 시간과 비용이 든다.
따라서, 이러한 오래된 기술에 대한 지식이 부족하면 중요한 데이
터를 제대로 관리하거나 복구하는 데 어려움을 겪을 수 있다.

둘째, 오랫동안 검증된 기술은 안정성과 신뢰성이 뛰어나다. 최신
기술은 자주 업데이트되고 새로운 기능이 추가되지만, 이는 종종
예기치 않은 버그나 문제를 야기할 수 있다. 반면에, 오래된 시스
템은 오랜 시간 동안 수많은 테스트와 검증을 거쳐 안정적으로

운영되고 있다. 앨리스가 다룬 메인프레임 시스템도 수십 년 동안 문제없이 운영되어 왔기 때문에, 그 신뢰성이 매우 높다. 이는 현대적인 시스템에서는 쉽게 얻을 수 없는 장점이다.

셋째, 오래된 기술에 대한 수요는 여전히 존재한다. 많은 기업과 기관들이 여전히 이러한 시스템을 유지 보수할 수 있는 인력을 필요로 하고 있다. 예를 들어, 최근까지도 많은 금융 기관에서 COBOL을 유지 보수할 수 있는 전문가를 찾기 위해 많은 노력을 기울이고 있다. 그러나 이러한 인력은 매우 희귀하다.

넷째, 기존 시스템을 완전히 대체하기보다는 유지 보수하는 것이 더 경제적일 수 있다. 오래된 시스템을 완전히 현대화하는 데는 막대한 비용과 시간이 필요하다. 또한, 새로운 시스템으로의 전환 과정에서 발생할 수 있는 데이터 손실이나 시스템 중단의 위험도 고려해야 한다. 따라서, 기존 시스템을 유지하면서 필요한 부분을 보완하거나 개선하는 것이 더 효율적일 수 있다.

앨리스가 은행의 데이터를 복구하는 과정에서 과거 기술을 활용한 것처럼, 현대적인 기술만으로는 해결할 수 없는 문제들이 여전히 존재한다. 과거 기술은 단순히 과거의 유산을 이어가는 것이 아니라, 현재와 미래의 문제를 해결하는 데 중요한 역할을 한다. 이러한 기술은 우리가 매일 접하는 많은 시스템과 서비스의 기초를 이루고 있으며 그 중요성은 앞으로도 계속될 것이다.

매일 더 똑똑해지는 IT 교양서
ZERO TO ONE

공식 카페 접속하기

영국의 폰트 디자이너 엘리엇은 오래된 서재에서 기묘한 원고를 발견했다. 이 원고에는 16세기부터 존재한 고딕체 폰트가 기록되어 있었는데, 이를 복원하기 위해 엘리엇은 적합한 폰트를 찾아 적용하기 시작했다. 그는 다양한 출처로부터 다운받은 폰트를 컴퓨터에 설치하였다. 그런데 이상하게도 TTF 형식으로는 폰트가 일부 깨졌고, OTF 형식으로는 모든 글자가 완벽하게 나타났다. 엘리엇은 의문을 품고 이유를 알기 위해 오랜 시간 자료를 찾아 헤맸다. 다음 중 엘리엇이 발견한 TTF와 OTF의 차이점으로 올바른 것은 무엇일까?

1. TTF는 벡터 기반이며, OTF는 래스터 기반이다.

2. TTF는 확장성이 뛰어나고, OTF는 그렇지 않다.

3. TTF는 비트맵 폰트를 지원하고, OTF는 지원하지 않는다.

4. TTF는 단순한 구조로 되어 있고, OTF는 더 복잡한 레이아웃 기능을 지원한다.

4. TTF는 단순한 구조로 되어 있고, OTF는 더 복잡한 레이아웃 기능을 지원한다.

TTF와 OTF는 둘 다 폰트 파일 형식으로, 텍스트를 컴퓨터에서 표현할 때 사용된다. 이 두 형식의 주요 차이점과 그 사용법에 대해 알아보자.

TTF(TrueType Font)는 1980년대 후반 애플과 마이크로소프트가 개발한 폰트 형식이다. TTF의 주요 특징은 단순한 구조와 뛰어난 호환성이다. TTF 파일은 폰트를 표시하기 위한 모든 정보를 단일 테이블에 저장한다. 이 형식은 벡터 기반으로, 다양한 해상도에서 폰트의 품질을 유지할 수 있다. 하지만 TTF는 복잡한 레이아웃 기능을 지원하지 않는다는 단점이 있다. 이러한 이유로 TTF는 주로 간단한 텍스트 표현에 사용된다.

OTF(OpenType Font)는 어도비와 마이크로소프트가 TTF의 한계를 극복하기 위해 1990년대에 개발한 폰트 형식이다. OTF는 TTF의 장점을 계승하면서도 더 많은 기능을 제공한다. OTF의 주요 특징은 복잡한 레이아웃 기능과 고급 타이포그래피 기능을 지원한다는 점이다. OTF는 여러 언어의 문자를 효과적으로 처리할 수 있는 기능을 가지고 있으며, 이는 다양한 문자의 조합과 서체 변형을 필요로 하는 복잡한 문서 작업에 유용하다. 또한, OTF는 글리프(문자나 기호의 시각적 표현)를 다양한 테이블에 저장하여 더 많은 정보를 담을 수 있다. 이러한 이유로 OTF는 TTF보다 더 복잡한 구조를 가지고 있으며, 더 많은 기능을 제공한다.

엘리엇이 고대의 폰트를 복원하는 과정에서 TTF와 OTF의 차이점을 조사한 결과, OTF가 더 복잡한 레이아웃 기능을 지원하여 고딕체 폰트를 더 정확하게 표현할 수 있음을 알게 되었다. 이는 OTF의 고급 타이포그래피 기능 덕분에 가능한 일이다. TTF는 단순한 구조로 인해 일부 글자가 깨지거나 제대로 표현되지 않는 문제가 발생했지만, OTF는 이러한 문제를 해결할 수 있었다.

결론적으로, TTF와 OTF는 각각의 장단점을 가지고 있으며, 사용 목적에 따라 적합한 형식을 선택하는 것이 중요하다. 엘리엇의 사례에서처럼 복잡한 레이아웃과 다양한 문자의 표현이 필요한 경우, OTF를 사용하는 것이 더 적합하다. 반면, 간단한 텍스트 표현이나 높은 호환성이 필요한 경우에는 TTF가 유용할 수 있다. 이를 통해 우리는 TTF와 OTF의 차이점을 적절히 이해하고, 적절한 폰트 형식을 선택할 수 있어야 한다.

Shady URL

단축 URL을 스팸이나 피싱 등으로 오해하기 쉽다 보니,
다들 읽기 어렵거나 복잡한 URL이 최대한 아닌 것을 택할 때
오히려 반대 방향으로 걸어가는 단축 URL 서비스도 있다.
은폐 수준을 끌어올리려는 노력이 보인다.

매일 더 똑똑해지는 IT 교양서
ZERO TO ONE

공식 카페 접속하기

2014년, 미국에 있는 대형 영화사인 '파커스 스튜디오'에서 새로운 영화의 개봉을 앞두고 있었다. 영화사 내부에서는 긴장과 기대가 교차하고 있었지만, 누구도 예상치 못한 일이 벌어졌다. 어느 낮 아침, 직원들이 출근해보니 회사의 모든 컴퓨터 화면이 붉은색 배경으로 바뀌어 있었고, "위대한 리더의 명령을 수행하라"는 메시지와 함께 여러 개의 파일이 삭제되었음을 알리는 경고문이 떠 있었다. 회사의 IT 담당자 존은 급히 상황을 파악하기 시작했다.

조사를 통해 그는 해커들이 사내 네트워크를 침투한 후, 직원들의 이메일과 파일을 복사해 외부로 유출한 사실을 확인했다. 공격자들은 사내 서버에 접근하기 위해 관리자 권한을 얻었으며, 이 과정에서 다양한 해킹 기법을 사용한 것으로 드러났다. 특히 해커들은 사전에 직원들의 컴퓨터에 악성코드를 심고 네트워크를 통해 추가 악성코드를 배포하여 더 많은 컴퓨터를 감염시키는 기법도 사용했다. 이후 이 사건은 북한의 110호 연구소와 연계된 '라자루스 그룹'의 소행으로 밝혀졌다.

다음 중, 이 사건에서 북한의 110호 연구소가 사용한 것으로 알려진 해킹 기법은 무엇인가?

1. 피싱 이메일을 통해 악성코드를 배포하는 기술

2. 제로 데이 취약점을 이용한 웹 서버 공격

3. 물리적 접근을 통한 하드웨어 해킹

4. 블루스나핑을 통한 모바일 기기 해킹

[정답]

1. 피싱 이메일을 통해 악성코드를 배포하는 기술

[해설]

이 퀴즈는 2014년 소니 픽처스 해킹 사건을 바탕으로 작성된 시나리오다. 당시 소니 픽처스는 북한을 풍자한 영화 "인터뷰"의 개봉을 앞두고 있었다. 영화 내용이 북한 정권을 조롱하는 내용을 담고 있어 북한의 심기를 불편하게 했다. 이로 인해 북한의 사이버 해킹 조직인 '라자루스 그룹'이 소니 픽처스에 대한 대대적인 해킹 공격을 감행한 것이다. 이들은 북한의 110호 연구소와 연계된 조직으로, 북한의 해킹 활동에서 핵심적인 역할을 하는 곳으로 알려져 있다.

1. 피싱 이메일을 통해 악성코드를 배포하는 기술: 이 기법은 공격자가 피싱 이메일을 보내, 수신자가 이메일에 포함된 악성코드를 다운로드하도록 유도하는 방식이다. 소니 픽처스 해킹 사건에서는 해커들이 직원들에게 피싱 이메일을 보내 악성코드를 다운로드하게 한 뒤 이를 통해 사내 네트워크에 침투했다. 이 방법은 매우 효과적이었으며 직원들의 부주의를 이용하여 쉽게 네트워크에 접근할 수 있다는 점에서 해커들이 자주 사용하는 기법이다.

2. 제로 데이 취약점을 이용한 웹 서버 공격: 제로 데이 취약점은 아직 세상에 공개되지 않은 상태에서 악용될 수 있는 취약점

을 말한다. 그러나 소니 픽처스 해킹 사건에서는 주로 피싱 이메일을 통한 악성코드 배포가 주요 공격 기법으로 사용되었다.

3. 물리적 접근을 통한 하드웨어 해킹: 이 방법은 공격자가 직접 물리적으로 컴퓨터나 네트워크 장비에 접근하여 해킹하는 것이다. 이는 매우 제한된 상황에서만 가능하며, 소니 픽처스 해킹 사건과는 관련이 없다. 이 사건에서는 물리적 접근 없이 원격으로 네트워크에 침투한 방식이 사용되었다.

4. 블루스나핑을 통한 모바일 기기 해킹: 블루스나핑은 블루투스 기능을 이용해 모바일 기기를 해킹하는 기술이다. 이는 주로 모바일 장치나 블루투스 기기를 대상으로 하며, 소니 픽처스 해킹 사건에서는 사용되지 않았다.

소니 픽처스 해킹 사건 이후, 해커들은 대규모 데이터를 탈취하고 이를 공개하겠다고 위협했다. 결국 소니 픽처스는 많은 영화와 내부 자료가 인터넷에 유출되는 피해를 입었으며, 전 세계적으로 큰 충격을 주었다. 이 사건을 통해 북한의 해킹 능력과 그 위험성이 널리 알려졌으며, 기업들이 사이버 보안에 더 큰 주의를 기울이게 되는 계기가 되었다.

북한의 110호 연구소는 라자루스 그룹과 같은 해킹 조직과 밀접하게 연계되어 있으며, 이들은 다양한 해킹 기법을 통해 전 세계를 대상으로 공격을 감행하고 있다. 특히 피싱 이메일과 같은 사회 공학적 기법을 통해 사용자들의 방심을 유도하고, 악성코드를 심는 방식으로 네트워크에 침투하는 전략을 자주 사용한다. 이를 방지하기 위해서는 이메일과 같은 전자 통신 수단에 대한 경각심을 높이고, 정기적으로 보안 교육을 실시하여 피싱 공격에 대한 인식을 강화하는 것이 중요하다.

얼마 전, 제니퍼는 시골 마을의 오래된 저택으로 이사했다. 집에는 오래된 와이파이 기기가 하나 있었다. 제니퍼는 라우터를 설정하는 동안 WPA3 보안 옵션이 아닌 WEP 옵션을 사용할 수 있다는 것을 알게 되었다. WEP는 오래 전부터 취약하다고 알려져 있는데 왜 아직도 이런 설정이 여전히 지원되는지 의문을 가졌다. 그녀는 집 주변을 둘러보던 중, 예전 이 집의 주인이 WEP를 사용해 네트워크를 관리했음을 알 수 있었다. WEP 설정을 아직도 와이파이 옵션에서 선택할 수 있는 이유는 무엇일까?

1. 오래된 장치들과의 호환성을 위해

2. 설정이 간편하기 때문

3. 보안 테스트를 위해

4. 사용자에게 다양한 선택지를 주기 위해

[정답]

1. 오래된 장치들과의 호환성을 위해

[해설]

와이파이 설정에서 WEP 같은 구식 보안 옵션을 아직도 지원하는 이유는 주로 오래된 장치들과의 호환성 때문이다. WPA3와 같은 최신 보안 프로토콜은 더 안전하지만, 모든 장치가 이를 지원하지 않는다. 특히 2000년대 초반에 생산된 구형 장치들은 WPA나 WPA2, WPA3를 지원하지 않으며, WEP만 지원하기도 했다.

제니퍼의 생각처럼 WEP는 보안이 매우 취약하다. WEP는 1999년에 처음 도입되었으며, 당시에는 효과적인 보안 프로토콜이었지만, 시간이 지나면서 많은 취약점이 발견되었다. 예를 들어, WEP는 고정된 암호키를 사용하기 때문에 해커가 패킷을 모니터링하고 암호화 키를 역추적하는 것이 상대적으로 쉽다. 이러한 이유로, WEP는 몇 분 안에 해킹될 수 있다는 것이 확인되었다.

그렇다면 왜 WEP를 완전히 제거하지 않고 여전히 지원하는 것일까? 이는 주로 여러 환경에서의 호환성을 유지하기 위함이다. 예를 들어, 오래된 사무실이나 공장에서는 여전히 구형 장비들이 사용되고 있을 수 있으며, 이 장비들이 최신 보안 프로토콜을 지원하지 않는 경우가 많다. 따라서, 이러한 장비들이 여전히 네트워크에 연결될 수 있도록 WEP 옵션이 필요할 수 있다.

WEP를 지원하는 또 다른 이유는 사용자 편의성이다. 일부 사용자들은 최신 보안 프로토콜을 설정하는 데 어려움을 겪을 수 있으며, 구형 장비와의 연결 문제를 피하려고 WEP를 선택할 수 있다. 그러나 이는 매우 위험한 선택이다. 이 집의 이전 주인이 지금까지는 WEP를 사용해왔고 문제가 없다고 하더라도 그대로 사용하는 것은 위험하다.

따라서, IT 전문가들은 WEP 대신 WPA2나 WPA3 같은 최신 보안 프로토콜을 사용할 것을 권장한다. 최신 프로토콜은 더 강력한 암호화와 보안 기능을 제공하며, 해킹에 대한 방어력이 상대적으로 더 뛰어나다. 최신 라우터와 장비들은 대부분 WPA3를 지원하므로 WEP를 사용할 필요는 점점 줄어들고 있다.

결론적으로, WEP와 같은 구식 보안 옵션이 여전히 지원되는 이유는 주로 오래된 장치들과의 호환성을 유지하기 위해서이다. 그러나 이는 큰 보안 위험을 초래할 수 있으므로, 가능한 한 최신 보안 프로토콜을 사용하는 것이 좋다.

『 108 』

유명 기업의 보안팀장인 마크는 긴장된 표정으로 사무실에 들어섰다. 최근 회사에서 중요한 데이터를 도난당했는데, 조사 결과 한 직원이 회사의 IT 부서에서 보낸 것처럼 보이는 이메일에 응답하면서 시작된 사건이었다. 이메일은 매우 정교하게 작성되어, 직원들이 의심하지 않고 자신의 로그인 정보를 입력하게 만들었다. 마크는 이 사건이 특정 직원을 대상으로 한 맞춤형 공격인 스피어피싱(Spear Phishing)이라고 결론지었다.

며칠 후, 마크는 또 다른 데이터 유출 사건을 조사하게 되었다. 이번에는 한 직원이 은행 직원으로 가장한 사람에게 전화로 비밀번호를 알려주었고, 이로 인해 회사의 계정 정보가 유출되었다. 이 사기꾼은 이런 식으로 접근하여 직원의 비밀번호를 알아낸 후 이를 악용한 것으로 드러났다. 마크는 이 사건이 프리텍스팅(Pretexting)을 이용한 것임을 파악했다.

마크는 이 두 사건을 팀원들에게 설명하며 두 공격 기법의 차이점을 인지시켰다. 다음 중 마크의 설명으로 가장 적절한 것은 무엇인가?

1. 프리텍스팅은 특정 목표에게 신뢰할 만한 구실을 내세워 전화나 대면 접촉으로 정보를 얻어내는 기법이며, 스피어피싱은 이메일을 포함한 다양한 수단으로 특정 목표를 노리고 공격하는 기법이다.

2. 스피어피싱은 특정 목표를 대상으로 하는 반면, 프리텍스팅은 불특정 다수를 대상으로 정보를 얻어내는 방식이다.

3. 프리텍스팅은 이메일을 통해 비밀번호를 탈취하는 반면, 스피어피싱은 전화나 직접 대면을 통해 정보를 수집하는 것이다.

4. 스피어피싱은 기술적인 취약점을 노려 공격하는 반면, 프리텍스팅은 특정 목표를 대상으로 직접 신뢰를 쌓아 정보를 빼내는 방식이다.

1. 프리텍스팅은 특정 목표에게 신뢰할 만한 구실을 내세워 전화나 대면 접촉으로 정보를 얻어내는 기법이며, 스피어피싱은 이메일을 포함한 다양한 수단으로 특정 목표를 노리고 공격하는 기법이다.

[해설]
프리텍스팅과 스피어피싱은 사이버 공격에서 자주 사용되는 사회공학적 기법으로, 두 방식 모두 특정한 개인이나 조직을 목표로 하지만 접근 방식과 공격 수단에서 차이가 있다. 이를 이해하기 위해 두 기법의 정의와 실제 사례를 통해 차이점을 살펴보자.

프리텍스팅(Pretexting)은 공격자가 특정 목표에게 신뢰할 만한 구실을 내세워 정보를 빼내는 기법이다. 여기서의 구실은 공격자가 설정한 허구의 상황이나 이야기로, 이를 통해 목표의 신뢰를 얻고 민감한 정보를 요청하는 방식이다. 프리텍스팅은 주로 전화나 대면 접촉을 통해 이루어진다. 예를 들어, 공격자가 은행 직원을 사칭하며 고객에게 전화하여 "계좌에 이상 거래가 발생했다"라는 구실로 비밀번호나 기타 중요한 정보를 요구하는 상황이 프리텍스팅의 대표적인 예다.

2006년 HP 스캔들에서 프리텍스팅이 사용된 사례가 있다. HP의 보안팀은 정보 유출자를 추적하기 위해 사설 탐정들에게 의뢰했는데, 이들은 기자와 직원들의 전화 기록을 불법적으로 획득하기 위해 프리텍스팅을 이용했다. 이 사건은 프리텍스팅의 위험성을 세상에 널리 알린 대표적인 사례이다.

스피어피싱(Spear Phishing)은 특정 목표를 노리고 맞춤형 공격을 설계하는 피싱 기법이다. 스피어피싱은 이메일뿐만 아니라 문자 메시지, 소셜 미디어, 심지어 전화 통화 등 다양한 수단을 이용할 수 있다. 공격자는 목표에 대한 정보를 사전에 충분히 조사하여, 목표가 신뢰할 만한 메시지를 만들어 이를 통해 악성 링크를 클릭하거나 악성 파일을 다운로드하도록 유도한다.

2020년, 트위터에서 발생한 대규모 해킹 사건이 스피어피싱의 대표적인 예이다. 해커들은 트위터 직원들에게 스피어피싱 이메일을 보내어 관리자 계정의 접근 권한을 획득하고, 이를 통해 유명 인사들의 계정을 해킹하여 비트코인 사기를 벌였다.

프리텍스팅과 스피어피싱의 차이점을 요약하면 다음과 같다:

- 프리텍스팅: 특정 목표에게 신뢰할 만한 구실을 내세워 전화나 대면 접촉을 통해 정보를 요청하는 기법.

- 스피어피싱: 특정 목표를 노리고 사전에 준비된 맞춤형 메시지를 통해 이메일을 포함한 다양한 수단으로 정보를 유출하는 기법.

『 109 』

한적한 도시의 늦은 밤. 에밀리오라는 시스템 관리자에게 수상한 전화를 받았다. "에밀리오, 내 시스템이 제어되지 않는 것 같아. 서버가 평소보다 느리고 이상해." 에밀리오는 얼른 자신의 서버에 접속해 로그를 확인했다. 그의 예감은 적중했다. 서버가 수많은 IP 주소에서 공격을 받고 있었다. 에밀리오는 이 현상을 분석한 결과, 미라이 봇넷이라는 악명 높은 악성 코드가 서버를 장악하고 있음을 알아냈다. 미라이 봇넷은 어떤 특징을 가지고 있으며, 어떻게 작동하는가? 다음 중 올바른 설명을 고르시오.

1. 미라이 봇넷은 주로 기업 이메일 계정을 통해 확산되며, 주로 금융 정보를 탈취하는 목적이다.

2. 미라이 봇넷은 IoT 기기를 타깃으로 삼아, 디도스 공격에 이용할 수 있는 대규모 봇넷을 형성한다.

3. 미라이 봇넷은 스마트폰을 주 타깃으로 하여, 사용자 데이터를 암호화하고 몸값을 요구하는 랜섬웨어의 일종이다.

4. 미라이 봇넷은 소셜 미디어를 통해 전파되며, 개인 정보를 탈취하여 이를 판매하는 방식이다.

2. 미라이 봇넷은 IoT 기기를 타깃으로 삼아, 디도스 공격에 이용할 수 있는 대규모 봇넷을 형성한다.

미라이 봇넷(Mirai Botnet)은 2016년에 처음 발견된 악성 소프트웨어로, 주로 사물인터넷(IoT) 기기를 목표로 하는 디도스(DDoS, 분산 서비스 거부) 공격을 위해 개발된 봇넷이다. 미라이라는 이름은 일본어로 "미래"를 의미하는데, 이는 IoT 기기가 점점 더 많은 역할을 수행하는 미래에 큰 위협이 될 수 있음을 상징적으로 나타낸다.

미라이 봇넷은 주로 다음과 같은 과정을 통해 작동한다:

1. IoT 기기 감염: 미라이 봇넷은 인터넷에 연결된 보안이 취약한 IoT 기기를 탐색한다. 여기에는 보안 카메라, 라우터, DVR 등 다양한 기기가 포함된다. 이 기기들은 종종 기본 비밀번호를 변경하지 않은 채 사용되거나, 보안 업데이트가 잘 이루어지지 않는 경우가 많다. 미라이 봇넷은 이러한 기기들을 스캔하여 취약한 비밀번호를 통해 접속을 시도한다.

2. 봇넷 구성: 감염된 기기는 미라이 봇넷에 속하게 되며, 중앙 제어 서버의 명령을 받아 행동한다. 이는 수천, 수만 대의 기기가

동시에 악성 행위를 수행할 수 있는 강력한 네트워크를 형성하게 만든다.

3. 디도스 공격: 미라이 봇넷의 주요 목적은 대규모 디도스 공격을 수행하는 것이다. 이는 특정 웹사이트나 네트워크를 과부하 상태로 만들어 서비스가 정상적으로 운영되지 못하게 한다. 2016년 10월 21일, 미라이 봇넷은 미국의 주요 인터넷 인프라를 공격하여 트위터, 넷플릭스, 페이팔과 같은 대형 웹사이트를 일시적으로 다운시키는 사건을 일으켰다. 이 사건은 미라이 봇넷의 파괴적인 능력을 전 세계에 알린 대표적인 예시이다.

4. 확산 및 변종: 미라이 봇넷은 오픈 소스 형태로 코드가 공개되어, 이를 기반으로 한 다양한 변종들이 등장하게 되었다. 이는 공격자들이 미라이 봇넷의 코드를 이용해 자신만의 변종을 개발하여 더욱 다양한 IoT 기기를 공격할 수 있게 만든다.

미라이 봇넷은 IoT 기기를 이용한다는 점에서 특히 주목받았다. IoT 기기는 일반 컴퓨터나 스마트폰에 비해 보안이 취약한 경우가 많으며, 기본 비밀번호를 사용하는 경우가 많기 때문에 쉽게 감염될 수 있다. 이러한 특징 때문에 미라이 봇넷은 단시간 내에 수많은 기기를 감염시킬 수 있었으며, 이는 디도스 공격의 파괴력을 크게 증가시켰다.

반면에 스마트폰을 타깃으로 하는 랜섬웨어는 미라이 봇넷과는 성격이 다르다. 랜섬웨어는 주로 컴퓨터나 스마트폰의 데이터를 암호화한 뒤, 해제를 조건으로 금전을 요구하는 악성 소프트웨어이다. 미라이 봇넷은 랜섬웨어와는 달리 IoT 기기를 활용해 대규모 디도스 공격을 수행하는 데 초점을 맞추고 있다.

결존적으로, 미라이 봇넷은 IoT 기기를 통해 대규모 디도스 공격을 수행하는 봇넷으로, 기본 비밀번호를 사용하는 등 보안이 취약한 기기를 주요 목표로 삼는다. 이를 통해 서버나 네트워크를 과부하 상태로 만들어 서비스 제공을 방해하는 것이 주된 목적으로, 랜섬웨어나 소셜 미디어를 통한 정보 탈취와는 본질적으로 다른 목적과 방식을 가진 악성 코드이다.

어느 늦가을 밤, 런던의 템즈강 근처에서 홀로 산책하던 제임스는 갑작스런 진동음과 함께 스마트폰에 낯선 블루투스 연결 요청을 받게 되었다. 연결 요청이 반복되자, 제임스는 호기심에 못 이겨 이를 승인했다. 그 직후, 스마트폰에 저장된 연락처와 메시지들이 이상하게도 외부로 전송된 것을 알게 되었다. 제임스는 이것이 '블루스나핑'이라는 공격이었음을 나중에 알게 되었다. 여기서 말하는 '블루스나핑' 공격이 무엇을 의미하는가?

1. 블루투스 기능을 통해 파일을 안전하게 전송하는 방식이다.

2. 블루투스 연결을 통해 기기 사이에서 데이터를 무단으로 가져가는 방식이다.

3. 공공장소에서 스마트폰을 도난당할 수 있는 위험을 의미한다.

4. 특정 웹사이트에서 개인 정보를 무단으로 수집하는 행위를 의미한다.

[정답]

2. 블루투스 연결을 통해 기기 사이에서 데이터를 무단으로 가져 가는 방식이다.

[해설]

블루스나핑(bluesnarfing)은 블루투스 연결을 이용해 사용자 모르게 다른 사람의 기기에 접근하여 데이터를 무단으로 빼내는 공격을 의미한다. 블루투스는 근거리 무선 통신 기술로, 두 기기 사이의 데이터를 무선으로 주고받을 수 있다. 이 기술은 간편한 데이터 전송을 가능하게 하지만, 보안이 취약할 경우 공격자에게 악용될 소지가 있다.

블루스나핑은 기본적으로 블루투스 연결이 활성화된 상태에서 이루어진다. 공격자는 블루투스가 켜져 있는 기기를 스캔하여, 취약한 기기를 찾고, 이를 통해 기기 내 데이터를 읽어들이거나 다운로드한다. 블루스나핑 공격자는 기기 소유자의 동의 없이 연락처, 메시지, 사진 등 개인 정보를 빼낼 수 있다. 이는 사용자에게 큰 피해를 줄 수 있으며, 특히 중요한 정보를 다루는 기업의 경우 더 큰 보안 위협으로 작용할 수 있다.

실제로 2003년에 '블루스나핑' 공격이 처음으로 보고되었다. 당시 Nokia 6310i와 Sony Ericsson 등에서 블루투스를 이용해 상대방의 데이터를 빼낼 수 있는 취약점이 발견되었고, 이로 인하여 많은 사람의 개인정보를 무단으로 탈취당하는 사건이 발생했다.

이 사건 이후, 블루투스 보안에 대한 경각심이 높아지면서 여러 제조사들이 보안 강화를 위해 업데이트를 실시하게 되었다.

블루스나핑을 예방하기 위해서는 다음과 같은 조치를 고려할 수 있다.

1. 블루투스 비활성화: 사용하지 않을 때는 블루투스를 끄는 것이 가장 기본적인 방어 방법이다.

2. 보안 설정 강화: 블루투스 설정에서 기기를 '비가시 모드'로 설정하면, 다른 블루투스 기기가 해당 기기를 검색하지 못하게 할 수 있다.

3. 보안 패치 적용: 제조사에서 제공하는 최신 보안 업데이트를 적용하여 취약점을 제거한다.

4. 강력한 인증 사용: 블루투스 연결 시 사용되는 비밀번호나 인증을 강화하여 무단 접근을 차단한다.

블루스나핑과 유사한 공격 방식으로는 블루재킹(bluejacking)이 있다. 블루재킹은 블루투스 연결을 통해 무작위로 메시지를 전송하는 방식이다. 이는 블루스나핑처럼 데이터를 탈취하는 것이 아니고, 주로 사용자를 당황하게 하거나 혼란을 주기 위한 방법으로 사용된다.

제임스가 당한 블루스나핑 공격은 블루투스 기능을 악용하여 기기 내부의 데이터를 무단으로 가져가는 매우 위험한 공격이다. 제임스가 블루투스 연결 요청을 승인함으로써, 공격자는 그의 기기 내 데이터를 쉽게 빼낼 수 있었던 것이다. 이와 같은 공격을 방지하려면, 사용자들은 항상 보안에 대한 경각심을 가지고 블루투스와 같은 무선 기능을 철저히 관리하는 것이 중요하다.

영국의 한 대형 백화점에서 근무하는 직원 에밀리는 휴대전화로 고객 지원 업무를 보고 있었다. 어느 날, 에밀리는 자신의 휴대전화에 갑자기 낯선 메시지가 도착하는 것을 발견했다. 메시지에는 "너가 누군지 안다"라는 조금 이상한 문장이 적혀 있었다. 에밀리는 놀라서 주변을 둘러보았지만, 수상한 사람은 보이지 않았다.

며칠 후, 에밀리의 동료 중 한 명인 존도 자신의 휴대전화로도 비슷한 메시지를 받았다고 했다. 두 사람은 이런 일이 어떻게 일어난 것인지 알아보기 시작했다. 생각보다 피해자가 많았고 얼마 뒤 에밀리는 결국 메시지를 보내는 사람이 블루재킹이란 것을 통해 자신들의 휴대전화에 접근했다는 것을 알게 되었다. 다음 중 이 사건의 원인이 된 블루재킹에 대한 설명으로 가장 적절한 것은 무엇인가?

1. 블루투스 기능을 통해 가까운 거리에서 다른 사람의 휴대전화로 메시지를 전송하는 행위이다.

2. 블루투스 기능을 통해 멀리 떨어진 사람의 휴대전화로 메시지를 전송하는 행위이다.

3. 블루투스 기능을 통해 다른 사람의 휴대전화를 해킹하여 데이터를 탈취하는 행위이다.

4. 블루투스 기능을 통해 다른 사람의 휴대전화를 원격으로 조종하는 행위이다.

[정답]
1. 블루투스 기능을 통해 가까운 거리에서 다른 사람의 휴대전화로 메시지를 전송하는 행위이다.

[해설]
블루재킹은 블루투스 기능을 이용해 가까운 거리에서 다른 사람의 휴대전화로 메시지를 보내는 행위이다. 주로 공공장소에서 블루투스가 켜진 기기들을 대상으로 이루어진다. 이 기술은 주로 짧은 범위에서만 작동하며, 블루투스의 작동 범위인 약 10미터 내에서만 가능하다.

블루재킹의 기본적인 원리는 블루투스가 활성화된 기기를 검색한 뒤, 상대방의 허가 없이 스팸 등의 메시지를 보내는 것이다. 블루재킹은 본래 장난으로 시작되었으나 불쾌감을 주거나 심리적으로 혼란을 일으킬 수 있다.

에밀리와 존의 사례에서처럼, 블루재킹을 당한 사람들은 누군가 자신을 감시하고 있다는 느낌을 받을 수 있다. 이러한 메시지는 익명성으로 인해 보낸 사람을 추적하기 어렵다. 이 때문에 블루재킹은 불안 심리를 일으킬 수 있는 잠재적으로 문제가 있다.

블루재킹을 방지하기 위해서는 블루투스를 사용하지 않을 때는 비활성화해 두는 것이 좋다. 특히 공공장소에서 블루투스를 켜두면

불특정 다수에게 노출될 위험이 있다. 또한, 자신의 기기에 블루투스 연결 요청이 왔을 때는 신중하게 확인하고 알지 못하는 기기의 요청은 거부해야 한다.

블루재킹과 달리 블루스나핑은 블루투스 연결을 통해 상대방의 데이터를 훔치는 행위이며, 블루버깅은 상대방의 기기를 원격으로 조종하는 행위이다. 이처럼 블루투스를 악용한 다양한 공격 방법이 존재하므로, 블루투스를 사용할 때는 항상 주의가 필요하다.

이러한 사례는 블루투스 기술의 편리함과 함께 보안 문제도 반드시 고려해야 한다는 점을 강조한다. 휴대전화나 기타 블루투스 기기를 사용할 때는 업데이트와 보안 설정을 주기적으로 수행하고, 불필요한 경우에는 블루투스를 꺼두는 습관을 들이는 것이 중요하다. 이는 에밀리와 존이 경험한 불쾌한 상황을 예방하는 데도움이 될 것이다.

매일 더 똑똑해지는 IT 교양서
ZERO TO ONE

공식 카페 접속하기

『 112 』

어느 날, 마크라는 이름의 외국인 친구가 한국을 방문했다. 그는 서울의 복잡한 지하철을 탐험할 일이 있었다. 지하철역에서 교통 카드를 구입한 마크는 이 카드가 어떻게 작동하는지 궁금해졌다. 마크는 카드를 단말기에 갖다 대기만 했는데도, 지하철 문이 자동으로 열리는 것을 보면서 궁금한 점이 생겼다. "이 카드에는 배터리도 없고, 전력 공급도 없는 것 같은데 어떻게 이런 무선 통신이 가능할까?". 마크는 밤에 호텔로 돌아가 카드가 작동하는 원리를 검색해 보기로 했다. 다음 날 아침, 그는 확인한 몇 가지를 친구들에게 말하기 시작했다. 다음 중 교통 카드가 배터리 없이도 무선 통신이 가능한 이유로 가장 올바른 것은 무엇일까?

1. 카드 내부에 태양광 패널이 있어서 빛을 에너지로 전환하여 작동한다.
2. 카드에 아주 작은 배터리가 숨겨져 있어서 그 배터리로 통신을 한다.
3. 카드가 단말기와 전파를 사용하여 통신한다.
4. 카드가 단말기에서 나오는 전자기파를 이용해 에너지를 얻어 통신한다.

[정답]

4. 카드가 단말기에서 나오는 전자기파를 이용해 에너지를 얻어 통신한다.

[해설]

교통 카드는 비접촉식으로 작동하며, 배터리 없이도 단말기와 통신이 가능하다. 이 기술의 핵심은 "RFID"라고 불리는 라디오 주파수 식별 기술이다. RFID는 전자기파를 이용해 데이터를 무선으로 전송하고 수신하는 시스템이다. 이 기술은 교통 카드뿐만 아니라 많은 곳에서 사용된다. 예를 들어, 물류 관리에서 상품을 추적하거나 도서관에서 책의 대출을 관리하는 데도 사용된다.

RFID 시스템은 크게 두 가지 구성 요소로 이루어져 있다: RFID 리더와 RFID 태그이다. RFID 태그는 우리가 흔히 사용하는 교통 카드와 같은 역할을 하며, RFID 리더는 단말기라고 생각하면 된다. RFID 태그는 자체 전력 공급 없이도 작동할 수 있다. 그 이유는 RFID 리더가 전자기파를 통해 태그에 에너지를 전달하기 때문이다. 이때 태그는 리더로부터 전송된 전자기파를 흡수하고, 이를 통해 필요한 전력을 얻는다. 이를 "유도 전류"라고 부른다. 이 전류는 태그 내의 칩에 전원을 공급해 데이터를 리더에게 송신하게 한다. 이 방식은 매우 적은 전력으로도 작동할 수 있어 교통 카드와 같은 응용 분야에서 매우 유용하다.

1번 보기는 카드 내부에 태양광 패널이 있어서 빛을 에너지로 전환하여 작동한다는 것이다. 하지만 교통 카드는 어두운 지하철에서도 잘 작동하며 태양광 패널로 작동하는 것은 아니다. 따라서 이 이론은 틀리다.

2번 보기는 카드 내부에 아주 작은 배터리가 있어서 그 배터리로 통신을 한다는 것이었다. 그러나 교통 카드는 배터리가 없는 상태에서도 오랫동안 사용할 수 있어서 이 또한 옳지 않다. 배터리가 있었다면 주기적으로 교체해야 했을 것이다.

3번 보기는 카드가 단말기와의 전파를 사용하여 통신한다는 것이다. RFID는 실제로 전파를 사용해 통신하지만, 이 경우에도 전파를 사용하기 위해서는 태그 자체에 에너지가 필요하다. 단순히 전파의 존재만으로는 통신할 수 없다는 점에서 가장 적합하고 보기는 어렵다.

4번 보기는 교통 카드가 단말기에서 나오는 전자기파를 이용해 에너지를 얻어 통신한다는 것이다. 교통 카드는 전자기파를 통해 유도 전류를 발생시켜 그 전력을 이용해 RFID 칩을 활성화하고, 필요한 데이터를 단말기로 전송한다. 이 방식은 "패시브 RFID"라고도 불리며, 전력 공급이 필요 없고 비용 효율적이며 신뢰성 높은 통신 방식을 제공한다.

따라서 교통 카드가 배터리 없이도 무선 통신이 가능한 이유는 단말기에서 발생한 전자기파를 카드가 흡수하여 필요한 전력을 얻기 때문이다. 이 원리를 이해함으로써 우리는 RFID 기술의 놀라운 가능성을 더욱 잘 이해할 수 있다. RFID는 우리의 일상생활에서 매우 중요한 역할을 하고 있으며, 그 응용 범위는 점차 확장되고 있다.

매일 더 똑똑해지는 IT 교양서

ZERO TO ONE

공식 카페 접속하기

『 113 』

스위스의 제네바에서 열린 한 수학 컨퍼런스에서, 데이터 과학자 클레어 벤슨은 흥미로운 과제를 맡게 되었다. 그녀는 고대 수학자가 남긴 수수께끼 같은 문서의 해석을 돕기 위해 초대받았다. 간단한 일정을 마치고 휴식을 취하던 중, 클레어는 의문의 고서 하나를 발견했다.

고서는 중세 유럽의 라틴어로 쓰여 있었고, 수많은 수학적 도형과 숫자 배열이 그려져 있었다. 그 중 한 페이지에는 어떤 한 수열의 초석이 되는 특정 숫자 배열이 눈에 띄었다. 클레어는 피보나치 수열의 특성을 잘 알고 있었기에, 이 배열이 단순히 수학적 호기심 그 이상일 것이라는 생각이 들었다.

이 수열의 첫 두 항은 각각 2로 시작했고, 그 이후의 항은 이런 식으로 이루어져 있었다 2, 2, 4, 6, 10, 16, 26, ...

클레어는 이 배열이 자연 현상이나 역사적 사건과 관련된 것일 수 있다고 생각했다. 이 수열은 특정한 패턴을 보여주며, 그 패턴은 자연계의 어떤 현상이나 원리를 설명하는 중요한 단서를 제공할 것만 같았다.

다음 중, 클레어가 발견한 이 수열의 패턴을 설명하는 가장 적합한 해석은 무엇인가?

1. 이 수열은 단순한 산술적 증가를 나타낸다.

2. 수열은 중세 유럽에서 사용된 암호로, 특정한 역사적 사건을 암시하는 열쇠이다.

3. 이 수열은 자연계의 특정 패턴, 예를 들어 나선형 구조를 설명하는 데 사용될 수 있다.

4. 해당 수열은 피보나치 수열의 한 형태로, 특정 수학적 구조나 패턴을 설명하는 데 유용하다.

[정답]

4. 해당 수열은 피보나치 수열의 한 형태로, 특정 수학적 구조나
   패턴을 설명하는 데 유용하다.

[해설]

피보나치 수열은 첫 두 항이 1, 1이고, 그 이후의 항들은 각각 그
앞의 두 항의 합으로 이루어진다. 일반적으로, 피보나치수열은 다
음과 같은 규칙을 따른다.

$$F(n) = F(n-1) + F(n-2)$$

클레어가 발견한 수열은 피보나치수열에 해당하지만 최초의 두
항이 2로 시작된다는 점이 다르다.

따라서 해당 수열은 피보나치수열의 변형 또는 일반화된 형태로
볼 수 있다. 피보나치 수열은 특정한 초기 조건에 따라 다양한
변형을 가질 수 있으며, 이는 다양한 수학적 문제나 자연 현상을
설명하는 데 유용하다. 예를 들어, 소나무의 가지 배열이나 파인
애플의 비늘 패턴, 해바라기의 씨앗 배열 등이 있다. 이러한 자연
현상들은 특정한 수학적 규칙을 따르며, 이는 효율성을 극대화하
는 데 중요한 역할을 한다.

또한, 피보나치 수열은 황금비와도 밀접한 관련이 있다. 황금비는

대략 1.6180339887로, 피보나치수열의 인접한 항의 비율이(앞위 수로 뒤의 수를 나누면) 진행될수록 이 값에 수렴하게 된다. 이 비율은 예술과 건축에서 아름다움을 나타내는 중요한 기준으로 사용된다. 예를 들어, 고대 건축물에서 발견되는 황금비는 사람들에게 조화롭고 안정된 느낌을 준다.

피보나치 수열의 변형은 컴퓨터 과학에서도 중요한 역할을 한다. 예를 들어, 피보나치 힙은 데이터 구조와 알고리즘에서 중요한 데이터 삽입, 삭제, 최솟값 탐색 등의 연산을 효율적으로 처리하기 위해 사용된다. 이러한 알고리즘은 데이터를 효율적으로 관리하고, 복잡한 문제를 해결하는 데 중요한 도구가 된다.

매일 더 똑똑해지는 IT 교양서

ZERO TO ONE

한 금융기관에서 데이터 유출 사건이 발생했다. 사건을 담당한 사이버 수사팀은 해커가 남긴 흔적을 추적했지만, 발견된 흔적은 모두 조작된 것이었다. 조사 과정에서 해커가 사용한 컴퓨터는 일종의 '부팅을 감시하는 소프트웨어'에 의해 보호받고 있었으며, 이 소프트웨어는 메모리에만 존재하고 있었다. 조사를 담당한 존 스미스는 해당 소프트웨어가 바로 안티포렌식 기술이 적용된 것을 알아챘다. 이 소프트웨어는 어떤 방식으로 컴퓨터의 포렌식 조사를 방해했을까?

1. 디스크의 모든 데이터를 암호화했다.

2. 로그 파일을 자동으로 삭제했다.

3. 운영체제를 종료시키면 메모리에서 소멸되었다.

4. 파일의 타임스탬프를 변조했다.

[정답]

3. 운영체제를 종료시키면 메모리에서 소멸되었다.

[해설]

안티포렌식 기술은 디지털 포렌식 분석을 방해하거나 어렵게 만드는 기술이다. 해커들이 사용한 이 기술의 목적은 디지털 증거를 숨기거나 삭제하여 수사를 어렵게 만드는 것이다. 이번 사건에서 등장한 '부팅을 감시하는 소프트웨어'는 메모리 상에만 존재하는 형태로 운영되었다. 이는 휘발성 메모리(램)에만 데이터를 저장하고, 운영체제가 종료되면 데이터가 소멸된다는 말이다.

이는 'Live RAM Analysis'와 관련이 있다. 해커들은 휘발성 메모리에 악성코드를 심어두고, 컴퓨터가 켜져 있는 동안에만 이를 활용한다. 이 때문에 컴퓨터를 재부팅하거나 종료하면 악성코드는 사라져버려서 포렌식 분석이 어렵게 된다. 이처럼 메모리에만 존재하는 악성코드는 컴퓨터를 종료하거나 재부팅 하면 증거를 남기지 않으므로, 수사관들이 이를 발견하고 분석하기 매우 어렵다.

또한, 안티포렌식 기술에는 다양한 방법이 존재한다. 첫 번째로, 디스크 암호화이다. 해커들은 파일을 암호화해 수사관들이 파일 내용을 확인하지 못하게 만든다. 두 번째로, 로그 파일 삭제이다. 로그 파일은 시스템이 발생한 모든 이벤트를 기록한 파일로, 이를 삭제하면 추적이 어렵게 된다. 세 번째로, 파일 타임스탬프 변조이다. 파일 생성, 수정, 접근 시간을 변경하여 수사관들이 파일의 사용 시점을 파악하지 못하게 만든다.

이러한 안티포렌식 기술들은 모두 디지털 증거를 조작하거나 숨겨서 수사를 방해하는 데 목적이 있다. 해당 금융기관 데이터 유출 사건에서 해커들이 사용한 방법은 메모리 기반의 안티포렌식 기술이었다. 이를 통해 해커들은 증거를 남기지 않고 데이터를 유출하는 데 성공했다. 안티포렌식 기술의 발전과 사용은 디지털 포렌식 수사에 큰 도전과제가 되고 있다.

안티포렌식 기술의 역사는 꽤 오래되었다. 이미 2000년대 초반부터 이러한 기술이 사용되었으며, 해커들은 점점 더 정교한 방법을 개발해왔다. 예를 들어, 스턱스넷(Stuxnet)은 산업 제어 시스템을 공격하기 위해 개발된 복잡한 악성코드인데, 자신을 숨기기 위해 다양한 안티포렌식 기술을 사용했었다.

랜섬웨어 공격 등으로 악명 높은 북한 해킹 조직 라자루스가 대형 암호화폐 거래소를 타깃으로 삼았다. 이 조직은 피싱 이메일을 통해 거래소 내부 직원에게 악성 코드를 심는 식으로 거래소의 주요 서버에 접근했다. 한밤중, 주요 조직원인 '켄'은 숨죽인 채 모니터를 응시하며 비밀리에 가상자산 지갑에 접근했다. 켄은 몇 차례 문자열을 입력한 뒤, 거래소에서 탈취한 비트코인을 해외의 여러 개인 지갑으로 나눠 송금했다. 이때 켄은 자신의 위치를 숨기기 위해 여러 단계의 프록시 서버와 VPN을 사용했다.

그러나 이게 끝이 아니었다. 켄은 탈취한 비트코인을 현금화하기 위해 다음 단계를 준비했다. 켄은 가상자산 믹싱 서비스를 이용해 자금의 출처를 완전히 숨긴 후, 이를 다시 여러 개의 지갑으로 나눴다. 마지막으로 켄은 자금 중 일부를 다크 웹을 통해 가명으로 판매하고, 남은 자금을 가상 아이디로 만든 여러 소규모 거래소 계정으로 이체했다. 이를 통해 그는 여러 국가의 은행 계좌로 자금을 흩어지게 했다.

켄은 이 모든 과정에서 실수하지 않았다. 그가 남긴 흔적은 최소화되었고, 추적은 어려웠다. 켄이 가장 신경 쓴 부분은 거래의 투명성 확보였다. 각 단계에서 그는 거래가 자연스러운 듯 보이게 만들어 의심을 피하고자 했다. 이에 따라 그는 특히 탈취 자금의 흐름을 감추는 데에 있어 매우 정교한 기술을 사용했다.

켄이 사용한 탈취 자금의 흐름을 숨기기 위한 가장 중요한 기술은 무엇이었을까?

1. 다크 웹을 통한 가명 판매

2. 가상자산 믹싱 서비스

3. 여러 단계의 프록시 서버와 VPN 사용

4. 가상 아이디로 만든 거래소 계정 이용

[정답]

2. 가상자산 믹싱 서비스

[해설]

라자루스 그룹은 2009년부터 활동을 시작해 여러 국제적 해킹 사건에 연루되었다. 특히 2014년 소니 픽처스 해킹 사건, 2017년 워너크라이 랜섬웨어 공격 등으로 유명하다. 이들의 주된 목표는 자금 탈취와 정보 수집이다. 이번 사건에서 켄이 사용한 주요 기술은 가상자산 믹싱 서비스였다.

가상자산 믹싱 서비스는 비트코인과 같은 가상자산의 거래 내역을 분산시키고, 자금을 여러 개의 지갑으로 나눠 자금 흐름을 추적하기 어렵게 만든다. 이는 탈취한 자금을 추적하는 것을 어렵게 하기 위한 중요한 기술이다. 믹싱 서비스를 사용하면 탈취된 자금의 원래 출처를 감추기 위해 여러 소규모 거래를 통해 자금을 섞고 나눈다. 이렇게 되면 특정 지갑으로의 자금 이동 경로를 추적하는 것이 매우 복잡해진다.

켄은 가상자산 믹싱 서비스를 이용해 탈취한 자금을 여러 단계로 나눠 은닉했다. 먼저 그는 거래소에서 탈취한 비트코인을 해외의 여러 개인 지갑으로 나눠 송금했다. 송금 과정에서 프록시 서버와 VPN을 사용해 자신의 위치를 숨겼다. 이는 자금의 흐름을 숨기는 데 도움이 되었지만, 진짜 목적은 자금을 추적하기 어렵게 만드는 것이었다.

그다음 단계는 자금을 현금화하는 것이다. 이 과정에서 켄은 가상자산 믹싱 서비스를 이용했다. 이는 탈취한 자금의 출처를 완전히 숨기기 위한 기술로, 자금의 흐름을 매우 복잡하게 만들어 추적을 어렵게 한다. 믹싱 서비스는 여러 개의 소규모 거래를 통해 자금을 나누고 다시 합쳐 자금의 원래 출처를 감춘다.

마지막 단계는 자금을 여러 국가의 은행 계좌로 나누는 것이다. 켄은 다크 웹을 통해 자금 중 일부를 가명으로 판매하고, 남은 자금을 가상 아이디로 만든 여러 소규모 거래소 계정으로 이체하였다. 이를 통해 자금을 다양한 은행 계좌로 분산시켜 은닉할 수 있었다.

사이버 보안 전문가인 미카엘라는 정부의 요청으로 중요한 문서의 암호화 작업을 맡게 되었다. 하지만 어느 날, 그녀의 동료였던 존이 미카엘라에게 긴급히 찾아왔다. 존은 최근 자신이 접수한 미스테리한 사건을 설명하기 시작했다. 미카엘라는 존의 설명을 듣고 심각성을 직감했다. 사건은 한 유명 정치인의 컴퓨터에서 아무도 모르게 정보가 유출되고 있었다는 것이었다. 중요한 건, 이 정보가 눈에 띄지 않게 전송되고 있다는 것이었다.

존은 "이 정보를 어떻게 숨겼는지 도저히 알아낼 수가 없어. 모든 흔적이 완벽하게 지워졌어. 누가 이렇게 완벽하게 데이터를 숨길 수 있지?"라고 말하며 당혹스러워했다. 미카엘라는 잠시 생각에 잠긴 후, 그에게 묘한 미소를 지으며 한 장의 사진을 보여주었다. 이 사진은 평범한 풍경 사진처럼 보였지만, 미카엘라는 사진 속에 숨겨진 비밀을 알고 있는 눈치였다. "존, 스테가노그래피가 무엇인지 들어본 적 있어? 이게 바로 그 기술을 사용한 예시야."

미카엘라가 사용한 스테가노그래피는 어떤 메커니즘으로 데이터를 숨겼을까?

1. 사진의 픽셀 값에 데이터 비트를 삽입하여 숨겼다.

2. 텍스트 파일의 공백과 탭 문자를 이용해 데이터를 은닉했다.

3. 오디오 파일의 고주파 영역에 데이터를 삽입해 숨겼다.

4. 이미지의 메타데이터에 텍스트 파일을 숨겼다.

1. 사진의 픽셀 값에 데이터 비트를 삽입하여 숨겼다.

스테가노그래피(Steganography)는 데이터를 눈에 띄지 않게 숨기는 기법을 의미한다. 주로 이미지, 오디오, 비디오 파일과 같은 미디어에 데이터를 은닉하는 데 사용되며, 이런 방식으로 정보가 감추어진다는 점에서 암호화와는 다른 독특한 방식이다. 암호화는 데이터를 암호화하여 보호하는 반면, 스테가노그래피는 데이터가 존재한다는 사실조차 숨기는 것에 차이가 있다.

1번 보기는 사진의 픽셀값에 데이터 비트를 삽입하여 숨기는 방법이다. 이 방법은 디지털 이미지에서 흔히 사용되는 기법으로, 이미지의 각 픽셀에 작은 변화를 주어 데이터를 삽입하는 방식이다. 가장 널리 알려진 방법으로는 LSB(Least Significant Bit) 삽입 방법이 있다. 이 방법은 이미지의 각 픽셀의 마지막 비트를 데이터 비트로 대체하는 것이다. 이렇게 하면 이미지의 시각적인 변화가 거의 없으므로, 데이터를 숨긴 이미지와 원본 이미지를 비교해도 육안으로는 차이를 구별하기 어렵다. 이 방식은 미카엘라가 사용한 방법으로, 존이 보았던 평범한 풍경 사진 속에 숨겨진 데이터는 바로 이 방법을 이용한 것이다.

2번 보기는 텍스트 파일의 공백과 탭 문자를 이용해 데이터를 은

닉하는 방법이다. 이 방법은 공간이 많은 텍스트 파일에서 데이터의 존재를 숨기기 위해 사용된다. 공백이나 탭 문자와 같은 비가시적 문자를 조작하여 데이터를 숨기면 텍스트 파일의 내용은 거의 변하지 않는다. 하지만, 이 방법은 이미지와 같은 시각적인 미디어보다는 텍스트 파일에 더 적합한 방법이다.

3번 보기는 오디오 파일의 고주파 영역에 데이터를 삽입해 숨기는 방법이다. 오디오 파일의 고주파 영역은 인간의 귀로 듣기 어려운 주파수 대역이다. 이 대역을 이용하여 데이터를 숨기면 오디오 파일의 음질을 거의 손상시키지 않으면서 데이터를 숨길 수 있다. 이 방법도 효과적이지만, 이번 사건의 경우 미카엘라가 보여준 것은 이미지였기 때문에, 이 방법과는 관련이 없다.

4번 보기는 이미지의 메타데이터에 텍스트 파일을 숨기는 방법이다. 메타데이터는 파일 자체에 포함된 추가 정보로, 이미지 파일의 촬영 장소, 날짜, 카메라 설정과 같은 정보를 담고 있다. 메타데이터에 데이터를 숨기면 이미지 파일 자체의 크기는 거의 변하지 않으면서도 데이터를 은밀하게 전달할 수 있다. 그러나 메타데이터는 이미지의 픽셀 데이터를 사용하지 않기 때문에 미카엘라가 사용한 기법과는 차이가 있다.

스테가노그래피는 정보보안 분야에서 중요한 역할을 한다. 이 기술은 데이터를 감추는 다양한 방법을 제공하며, 데이터가 존재하는지조차 알기 어려운 상황을 만들어 중요한 정보를 안전하게 전달할 수 있다. 해당 이미지에는 픽셀 데이터를 이용해 데이터를 숨기는 방법이 사용되었으며, 이 기술을 이용하면 정보가 안전하게 전송될 수 있다. 보안 전문가들은 스테가노그래피의 이러한 특성을 활용하여 민감한 정보를 안전하게 보호하고 전달하는 방법들을 또한 연구하고 있다.

매일 더 똑똑해지는 IT 교양서

ZERO TO ONE

공식 카페 접속하기

『 117 』

2017년 6월, 우크라이나의 수도 키이우는 그 어느 때보다도 뜨거운 여름을 맞이하고 있었다. 마치 태양이 도시를 태우려는 듯이 모든 것이 타들어 가는 듯했다. 하지만 이날은 단지 기온만 뜨거운 것이 아니었다. 키이우에 사는 이고르는 그날 아침 평소처럼 일어나 컴퓨터를 켰다. 그는 큰 IT 회사를 운영하는 CEO였다. 이고르는 이메일을 확인하던 중 수상한 첨부 파일이 있는 메일을 발견했다. 호기심이 생긴 그는 파일을 열었고, 곧바로 컴퓨터 화면에 경고 메시지가 뜨기 시작했다.

메시지는 그가 중대한 실수를 했다는 것을 깨닫게 해 주었다. 전 회사의 네트워크가 갑자기 마비되었고, 모든 데이터가 암호화되어 접근할 수 없게 되었다. 회사 전체가 혼란에 빠진 것이다. 이고르는 즉시 전문가에게 연락했지만, 그들은 이미 너무 늦었다고 말했다. 이 사건은 순식간에 우크라이나 전역에 퍼졌고, 국가의 전산망을 무력화시켰다.

이 사건은 국가 차원의 사이버 공격의 일환으로 알려져 있다. 이 공격의 구체적인 방법은?

1. 피싱 공격을 통해 개인 정보를 탈취한 후 사회 공학적 기법으로 시스템 접근 권한을 얻었다.

2. 악성 소프트웨어를 배포하여 파일을 암호화하고 몸값을 요구하는 랜섬웨어 공격을 실행했다.

3. 디도스(DDoS) 공격을 이용해 웹사이트를 마비시키고 트래픽을 차단했다.

4. 제로데이(Zero-day) 취약점을 이용해 보안 패치를 하기 전에 시스템을 침투했다.

2. 악성 소프트웨어를 배포하여 파일을 암호화하고 몸값을 요구하는 랜섬웨어 공격을 실행했다.

2017년 6월 우크라이나를 강타한 사이버 공격은 'NotPetya' 랜섬웨어 공격으로 잘 알려져 있다. 이 공격은 우크라이나 정부 기관뿐만 아니라 은행, 공항, 지하철 등 다양한 주요 인프라를 마비시켰다. 이고르가 마주한 이 사건은 바로 이 NotPetya 공격의 일환으로, 이 랜섬웨어는 파일을 암호화하고 이를 복구하려면 금전을 요구하는 방식으로 진행되었다.

NotPetya는 단순한 랜섬웨어 공격으로 끝나지 않았다. 이 악성코드는 주로 우크라이나의 회계 소프트웨어 M.E.Doc의 업데이트 서버를 통해 퍼졌으며, 일단 시스템에 침투하면 네트워크를 통해 스스로 확산하였다. 공격을 받은 컴퓨터는 모든 데이터가 암호화되었고, 피해자들은 가상자산으로 몸값을 지불하라는 요구를 받았다. 그러나 실제로는 파일 복구가 불가능했으며, 이 공격의 목적은 돈을 갈취하는 것이 아닌, 혼란과 파괴를 일으키는 것이었다.

1번. 이 보기는 사회 공학적 공격을 통해 시스템에 접근하는 과정을 설명하고 있다. 피싱 공격은 이메일이나 메시지 등을 통해 사용자를 속여 개인 정보를 탈취하는 방법이다. 피싱 메일에는 가짜

로그인 페이지로 유도하거나 악성 소프트웨어를 다운로드하도록 하는 링크가 포함된다. 하지만 NotPetya 공격은 특정 개인의 정보를 탈취하는 것이 아니라, 악성코드를 시스템에 퍼뜨리는 데 중점을 두었기 때문에 정답이 아니다.

2번. 정답은 이 보기이다. NotPetya 공격은 랜섬웨어를 사용해 피해자의 파일을 암호화하고 이를 복구하기 위해 몸값을 요구하는 전형적인 랜섬웨어 공격이었다. 다만 NotPetya는 돈을 목적으로 한 공격이 아니라, 데이터 파괴와 시스템 마비를 목표로 했다. 이 랜섬웨어는 M.E.Doc 소프트웨어의 업데이트를 통해 확산되었으며, 암호화된 파일은 복구할 수 없었다는 점에서 다른 랜섬웨어와 차별화되었다.

3번. 디도스 공격은 다수의 컴퓨터를 통해 특정 서버에 대량의 트래픽을 보내 서버를 마비시키는 방법이다. 이 공격은 NotPetya와 같은 랜섬웨어와는 성격이 다르며, 주로 웹사이트나 네트워크의 운영을 방해하는 데 사용된다. NotPetya는 특정 서버나 웹사이트를 마비시키는 것이 아니라, 시스템 자체를 파괴하고 데이터 접근을 막는 것이 목적이었다.

4번. 제로데이 공격은 아직 알려지지 않은 취약점을 이용해 보안 패치가 이루어지기 전에 시스템을 공격하는 방법이다. NotPetya는 제로데이 취약점을 이용한 것이 아니라, 기존의 취약점을 통해 시스템에 침투하고, 네트워크 상에서 악성코드를 확산시키는 방식을 사용했다. 이 공격은 네트워크를 통해 빠르게 퍼졌으며, 주로 SMB의 알려진 취약점을 이용했다.

NotPetya는 보통의 랜섬웨어처럼 보였지만 실제로는 데이터 파괴를 목적으로 한 악성 소프트웨어였다. 이는 우크라이나를 목표로 한 일종의 사이버 전쟁 도구로, 국가의 주요 인프라와 민간 기업들을 공격하여 혼란을 잃으켰다. 이러한 공격은 IT 시스템의 복잡성과 네트워크 보안의 중요성을 재확인시키며, 현대 전쟁에서 사이버 공격이 얼마나 중요한 역할을 하는지 보여준다. 랜섬웨어 공격은 돈을 요구하며 시스템을 마비시키는 것이 일반적이지만, NotPetya는 파일 복구가 불가능하게 만들어 피해를 극대화하려는 의도를 가지고 있었다. 따라서 이 공격은 단순한 금전적 요구가 아닌, 전략적 파괴와 혼란을 목적으로 한 사례로 볼 수 있다.

이와 같은 사이버 공격은 현대의 전쟁에서 중요한 역할을 하며, 국가의 경제와 안전에 큰 영향을 미칠 수 있다. 이러한 공격을 방지하기 위해서는 보안 시스템의 강화와 지속적인 업데이트, 그리고 보안 의식의 향상이 필요하다.

『 118 』

John은 IT 관리자로 일하고 있었다. 어느 날, 그의 회사 서버가 랜섬웨어에 감염되었다는 경고 메시지를 받았다. 메시지에는 특정 비트코인 주소로 큰 액수의 돈을 보내야 파일을 복구할 수 있다는 내용이 있었다. John은 회사의 중요한 데이터를 잃고 싶지 않아 고민 끝에 돈을 보냈다. 그러나 파일은 복구되지 않았다. John은 여러 IT 전문가와 상담했지만, 복구는 불가능하다는 답변만 받았다. 이 사건은 2017년 5월에 발생한 'WannaCry' 랜섬웨어 공격과 관련이 있다. 다음 중 John이 돈을 입금했음에도 불구하고 파일을 복구할 수 없었던 이유는 무엇일까?

1. 'WannaCry' 랜섬웨어는 복호화 키를 제공하지 않기 때문이다.

2. 'WannaCry' 랜섬웨어의 결제 시스템에 오류가 있었다.

3. 'WannaCry' 랜섬웨어는 백업된 파일도 감염시키기 때문이다.

4. 'WannaCry' 랜섬웨어 알려준 비트코인 주소가 잘못되어 있기 때문이다.

[정답]
2. 'WannaCry' 랜섬웨어의 결제 시스템에 오류가 있었다.

[해설]
2017년 5월, 전 세계적으로 큰 충격을 주었던 'WannaCry' 랜섬웨어 공격은 마이크로소프트 윈도우 운영체제의 취약점을 이용한 사이버 공격이었다. 'WannaCry'는 워너크립터(WannaCryptor)라고도 불렸으며, 수백만 대의 컴퓨터가 영향을 받았다.

우선, 'WannaCry' 랜섬웨어는 시스템을 감염시키면 파일을 암호화하고 피해자에게 돈을 요구하는 메시지를 표시한다. 요구 금액은 보통 비트코인으로 지불해야 하며, 지불 후에 복호화 키를 제공하겠다는 약속을 한다. 그러나 John의 사례처럼 돈을 지불해도 파일이 복구되지 않는 경우가 많다. 그 이유는 여러 가지가 있다.

첫 번째 선택지에 따르면, 'WannaCry' 랜섬웨어가 복호화 키를 제공하지 않는다고 가정할 수 있다. 그러나 'WannaCry'의 경우 실제로 복호화 키를 제공하는 시스템이 갖추어져 있었다. 다만, 이 시스템이 제대로 작동하지 않았던 것이다. 따라서 첫 번째 선택지는 틀리다.

두 번째 선택지가 정답이다. 'WannaCry' 랜섬웨어는 돈을 지불한 후 복호화 키를 제공하는 시스템에 오류가 있었다. 이 결제 시스템은 피해자가 비트코인을 송금한 후 이를 자동으로 인식하고 복호화 키를 제공해야 했으나, 때에 따라서는 과정이 제대로 작동하지 않았다. 결과적으로 돈을 지불한 피해자도 파일을 복구할 수 없었다. 이는 2017년 사건 당시 많은 피해자들이 경험한 상황이었다.

세 번째 선택지에 따르면, 'WannaCry' 랜섬웨어가 백업된 파일도 감염시킨다고 가정할 수 있다. 일반적으로 랜섬웨어는 주로 현재 사용 중인 문서나 이미지 등의 주요 파일을 암호화한다. 하지만 돈을 이미 입금한 시점이므로 백업 파일로 복구할 수 없는 상황임을 의미한다. 따라서 이 선택지도 틀리다.

네 번째 선택지에 따르면, 비트코인 주소가 잘못되어 있었다고 가정할 수 있다. 하지만 'WannaCry' 랜섬웨어의 경우 정해진 비트코인 주소가 있었고, 이 주소는 고정되어 있었다. 비트코인 주소 자체의 오류는 큰 문제가 되지 않았다. 이 선택지도 아니다.

'WannaCry' 랜섬웨어의 가장 큰 문제점은 결제 시스템의 오류로 인해 많은 피해자들이 돈을 지불했음에도 불구하고 파일을 복구하지 못했다는 점이다. 이 사건은 랜섬웨어 공격에 대한 경각심을 높이고, 중요한 데이터는 정기적으로 백업하며, 운영체제와 소프트웨어를 항상 최신 상태로 유지해야 한다는 교훈을 남겼다.

매일 더 똑똑해지는 IT 교양서

ZERO TO ONE

공식 카페 접속하기

인공지능 연구원 앤드류는 한밤중에 고요한 연구실에서 GPT의 한국어 능력을 테스트하고 있었다. 연구실은 어둡고 조용했지만, GPT는 활발하게 반응했다. 앤드류는 보면 볼수록 소름이 끼친다는 생각이 들었다. GPT가 한국어로 별다른 문법 오류 없이 자연스러운 글을 금방금방 작성하기 때문이다. 앤드류는 GPT가 어떻게 한국어 문법을 모르는데도 이렇게 잘할 수 있는지 궁금했다.

다음 중 GPT가 한국어 문법을 모르는데도 한국어를 잘 사용할 수 있는 이유는 무엇일까?

1. GPT는 한국어 문법 규칙을 인간처럼 학습했기 때문이다.

2. GPT는 한국어 데이터를 대량으로 학습하여 패턴을 인식했기 때문이다.

3. GPT는 한국어 문법을 수동으로 코딩하여 적용했기 때문이다.

4. GPT는 한국어 문법 교재를 학습하여 이를 적용했기 때문이다.

[정답]

2. GPT는 한국어 데이터를 대량으로 학습하여 패턴을 인식했기 때문이다.

[해설]

GPT가 한국어 문법을 모르는데도 한국어를 잘 사용할 수 있는 이유는 대량의 한국어 데이터를 학습하여 패턴을 인식하기 때문이다. 이 해설에서는 각 보기에 대한 이유와 그렇지 않은 이유는 다음과 같다.

1번 보기는 틀렸다. GPT는 인간처럼 문법 규칙을 따로 배우지 않는다. 인간은 언어를 배울 때 문법 규칙을 배우고 적용하지만, GPT는 그렇지 않다. GPT는 방대한 텍스트 데이터를 학습하면서 자연스럽게 언어의 패턴과 구조를 인식한다. 예를 들어, "밥을 먹는다"와 같은 문장을 많이 접하다 보면, 이와 유사한 구조의 문장을 생성할 수 있게 된다. 문법 규칙을 명시적으로 배우지 않더라도 데이터의 패턴을 통해 자연스러운 문장을 생성할 수 있는 것이다.

2번 보기가 정답이다. GPT는 방대한 양의 한국어 텍스트 데이터를 학습한다. 이 데이터에는 다양한 문법적 구조와 표현이 포함되어 있다. GPT는 이 데이터를 통해 한국어의 패턴을 인식하고 이를 바탕으로 자연스러운 문장을 생성할 수 있다. 예를 들어, 수천만 개의 한국어 문장을 학습하면, 특정 단어의 사용 빈도와 문맥을 이해하게 된다. 이를 통해 새로운 문장을 생성할 때도 자연스러운 문맥과 문법을 적용할 수 있는 것이다. 따라서 GPT는 대량의 데이터를 통해 패턴을 인식함으로써 한국어 문법을 잘 모르는 상황에서도 자연스러운 문장을 생성할 수 있다.

3번 보기도 틀렸다. GPT의 작동 원리는 수동으로 코딩된 문법 규칙을 따르는 것이 아니다. GPT는 텍스트 데이터를 학습하면서 언어의 패턴을 인식한다. 수동으로 코딩된 문법 규칙을 따르는 시스템은 복잡하고 제한적일 수밖에 없다. 반면에, GPT는 기계 학습 알고리즘을 사용하여 대량의 데이터를 학습하고, 이를 통해 자연스럽고 유연한 언어 생성이 가능하다. 수동으로 코딩된 문법 규칙은 제한적이지만, 데이터에서 학습한 패턴은 훨씬 더 다양하고 유연하다.

4번 보기도 틀렸다. GPT는 특정 교재를 학습하는 것이 아니라, 인터넷에 존재하는 방대한 양의 텍스트 데이터를 학습한다. 한국어 문법 교재는 특정 규칙과 예제를 제공하지만, GPT는 특정 교재가 아닌 다양한 출처의 텍스트 데이터를 바탕으로 학습한다. 이를 통해 더 다양한 문맥과 표현을 학습할 수 있게 된다. 예를 들어, 소설, 뉴스 기사, 블로그 글 등 다양한 출처의 데이터를 학습하면, GPT는 더 풍부하고 다양한 언어 표현을 생성할 수 있다.

정리하자면, GPT가 한국어 문법을 모르는데도 한국어를 잘 사용할 수 있는 이유는 대량의 데이터를 통해 패턴을 인식하기 때문이다. 이는 수동으로 코딩된 규칙이나 특정 교재를 학습하는 것보다 훨씬 더 유연하고 강력한 방법이다. 데이터를 통해 학습한 패턴은 실제 언어 사용과 매우 유사하기 때문에, GPT는 훨씬 자연스럽고 문법적으로 올바른 문장을 생성할 수 있다.

매일 더 똑똑해지는 IT 교양서

ZERO TO ONE

공식 카페 접속하기

프랑스의 한 작은 마을에서 수상한 사건이 발생했다. 마을의 모든 길고양이가 한밤중에 어디론가 사라지는 일이 매주 반복된 것이다. 마을 주민인 존은 이 사건의 진상을 밝히기 위해 CCTV를 설치했다. 며칠 후, 존은 CCTV를 통해 마을 외곽의 폐창고에 모여드는 고양이들의 모습을 발견했다. 놀랍게도, 창고 안에서는 고양이들이 서로 무리를 지어 특정한 행동 패턴을 반복하고 있었다. 이러한 행동 패턴은 점점 정교해져 갔고, 그들은 마치 누군가의 지시에 따라 움직이는 듯했다. 존은 이 이상한 현상을 분석하기 위해 AI 전문가인 그의 친구 소피아에게 도움을 요청했다.

소피아는 고양이들의 행동 패턴을 분석하기 위해 비지도 학습 알고리즘을 사용했다. 그녀는 데이터의 특성을 파악하고, 그 안에 숨어 있는 패턴을 찾아내기 위해 몇 가지 실험을 했다. 소피아는 왜 비지도 학습이 이 상황에서 유용한지를 존에게 설명했다.

다음 중, 소피아가 비지도 학습의 유용성을 설명한 내용으로 가장 적절한 것은 무엇인가?

1. 비지도 학습은 데이터를 레이블 없이 학습하여 데이터의 내부 구조를 파악할 수 있다.

2. 비지도 학습은 데이터에 레이블을 붙여서 분류 문제를 해결하는 데 도움을 준다.

3. 비지도 학습은 특정 목표를 가지고 데이터를 학습하여 예측 모델을 만드는 데 유리하다.

4. 비지도 학습은 강화 학습과 결합하여 더 나은 성능을 발휘할 수 있다.

1. 비지도 학습은 데이터를 레이블 없이 학습하여 데이터의 내부 구조를 파악할 수 있다.

비지도 학습은 데이터를 레이블 없이 학습하는 기법이다. 이는 주어진 데이터에서 패턴이나 구조를 찾아내는 데 매우 유용하다. 소피아는 고양이들의 행동 패턴을 분석하기 위해 비지도 학습을 선택했는데, 이는 고양이들의 행동에 대한 사전 지식이나 레이블이 없었기 때문이다. 그녀는 데이터를 통해 고양이들의 행동 패턴을 탐지하고, 이를 통해 사건의 진상을 파악하고자 했다.

1번. 비지도 학습은 주어진 데이터에서 레이블 없이도 패턴이나 클러스터를 찾아내는 데 초점을 맞춘다. 이는 고양이들의 행동 패턴처럼 사전 지식이 없는 경우에 매우 유용하다. 소피아는 고양이들이 어떤 패턴으로 행동하는지를 파악하기 위해 비지도 학습을 사용했다. 데이터를 통해 행동의 유사성을 찾아내고, 이를 통해 사건의 원인을 분석하는 것이 가능하다.

2번. 비지도 학습은 데이터에 레이블을 붙이지 않고 학습한다. 레이블이 없는 상태에서 데이터를 군집화하거나 차원 축소 등의 방법으로 분석하는 데 사용된다. 데이터에 레이블을 붙이는 과정은 지도 학습의 범주에 들어간다. 따라서, 이 선택지는 비지도 학습의 본질과 맞지 않다.

3번. 특정 목표를 가지고 예측 모델을 만드는 것은 지도 학습의 영역이다. 지도 학습은 입력 데이터와 출력 레이블이 주어진 상태에서 모델을 학습시켜 새로운 데이터에 대해 예측을 수행한다. 비지도 학습은 목표 레이블이 없기 때문에 주어진 데이터의 구조나 패턴을 파악하는 데 초점을 맞춘다. 따라서, 이 선택지는 비지도 학습의 정의와 맞지 않다.

4번. 비지도 학습과 강화 학습은 각각 독립적인 학습 방법이다. 비지도 학습은 데이터의 패턴을 찾는 것이고, 강화 학습은 보상을 통해 에이전트를 학습시키는 방법이다. 물론 두 학습 방법을 결합하여 사용하면 시너지가 있을 수 있지만, 이는 비지도 학습의 기본 개념을 설명하는 데 적절하지 않다. 이 문제에서는 비지도 학습 그 자체의 유용성에 대해 묻고 있으므로, 이 선택지는 정답이 될 수 없다.

비지도 학습의 대표적인 예로는 클러스터링, 차원 축소, 연관 규칙 학습 등이 있다. 클러스터링은 데이터 내에서 유사한 데이터를 그룹으로 묶는 방법으로, 고양이들의 행동 패턴을 군집화하여 어떤 행동이 자주 발생하는지를 분석할 수 있다. 차원 축소는 고차원 데이터를 저차원으로 변환하여 데이터의 구조를 이해하기 쉽게 만드는 방법이다. 연관 규칙 학습은 데이터 간의 관계를 찾아내는 방법으로, 특정 행동이 다른 행동과 어떻게 연관되는지를 분석할 수 있다.

비지도 학습은 다양한 분야에서 활용될 수 있다. 예를 들어, 고객 데이터를 클러스터링하여 마케팅 전략을 세우거나, 유전자 데이터를 분석하여 유전자 간의 관계를 파악하는 데 사용될 수 있다. 비지도 학습의 가장 큰 장점은 데이터에 대한 사전 지식이나 레이블이 없어도 패턴을 찾아낼 수 있다는 점이다. 이는 새로운 데이터나 레이블이 없는 데이터에서도 유용하게 활용될 수 있음을 의미한다.

잭: 제이콥, 요즘 블루버깅(Bluebugging)에 대해 많이 듣는데, 정확히 뭐하는 거야?

제이콥: 블루버깅은 블루투스 장치를 해킹해 정보를 훔치거나 제어하는 기술이야. 원래 블루투스가 무선 헤드셋이나 키보드 같은 기기 연결에 쓰이는데, 이걸 악용하는 거지.

잭: 아, 그러니까 블루투스의 취약점을 이용해서 해킹하는 거네. 구체적으로 어떻게 이루어지는 건지 알고 싶어.

제이콥: 먼저 블루버깅의 기본 메커니즘을 이해하려면 블루투스 프로토콜을 알아야 해. 블루투스는 2.4GHz 대역을 사용하고, 주파수 홉핑 스펙트럼 확산(FHSS)을 통해 통신 안정성을 유지해. 하지만 이 과정에서 취약점이 생길 수 있어.

잭: 주파수 홉핑 스펙트럼 확산이라... 어떤 취약점이 있을까?

제이콥: 블루버깅 공격자는 블루투스 장치가 연결을 시도할 때 패킷을 가로채는 방식으로 접근해. 주로 기기의 기본 PIN 코드나

기본 페어링 키를 추출한 후, 이를 이용해 재접속하지. 이렇게 하면 장치를 완전히 제어할 수 있어. 2004년, 블루투스 1.0과 1.1 버전이 사용되던 시절부터 이런 취약점이 알려졌어.

잭: 그렇구나. 그러면 구체적으로 공격자는 어떻게 정보를 훔치거나 장치를 제어하는 거야?

제이콥: 해커는 블루투스 신호를 스캔해서 주변에 활성화된 블루투스 장치를 찾아. 그런 다음 취약점을 이용해 페어링을 시도해. 페어링이 성공하면 해커는 통화 내용을 도청하거나 SMS 메시지를 읽고, 심지어는 장치의 주소록까지 접근할 수 있어. 이 과정에서 특히 중요한 건 블루투스 장치의 범위가 10m 이내라는 제한이 있다는 거야. 그래서 보통 공공장소나 회의실 같은 곳에서 많이 시도되지.

잭: 블루투스의 페어링 과정이 그렇게 쉽게 뚫리는 거야?

제이콥: 초기 블루투스 버전에서는 페어링 과정에서 PIN 코드가 고정되어 있거나 매우 단순한 경우가 많았어. 예를 들어 '0000'이나 '1234' 같은 기본값이었지. 이런 고정된 PIN 코드를 쉽게 추측할 수 있었고, 이는 블루버깅의 주요한 취약점으로 작용했어. 2007년, 캔브리지 대학의 Ian Goldberg와 David Wagner가 이런 취약점을 처음 공개했어. 이후 블루투스 2.1 버전부터는 안전한

간편 페어링(Secure Simple Pairing, SSP) 기능이 추가되면서 보안이 강화됐지.

잭: 그럼에도 불구하고 여전히 블루버깅이 문제가 되는 이유는 뭐야?

제이콥: 블루투스 보안이 강화됐다고는 하지만, 여전히 사용자들이 최신 버전으로 업데이트하지 않는 경우가 많아. 그리고 일부 IoT 기기나 저가형 기기들은 여전히 구식 보안 프로토콜을 사용하는 경우가 있지. 2017년, BlueBorne 취약점이 발견되었는데, 이를 통해 블루투스 연결 없이도 해킹이 가능하다는 사실이 밝혀졌어. 이 취약점은 Android, iOS, Windows, Linux 등 다양한 운영 체제에 영향을 미쳤지.

잭: 그러면 현재로서는 블루버깅을 예방할 방법은 뭐야?

제이콥: 첫째, 사용하지 않을 때는 블루투스를 꺼두는 게 좋아. 둘째, 페어링 요청을 승인할 때는 신뢰할 수 있는 기기인지 확인해야 해. 셋째, 기기의 소프트웨어와 펌웨어를 최신 상태로 유지하는 것도 중요해. 블루투스 4.0 이후 버전은 보안 기능이 강화되어 있으니, 가능하다면 최신 버전으로 업그레이드하는 게 좋겠지?

잭: 그렇군. 앞으로 블루투스 기기를 사용할 때 좀 더 신경 써야

겠어.

제이콥: 맞아. 보안은 항상 중요한 문제니까. 특히 무선 통신 기술에서는 더더욱 주의가 필요하지. 이해하기 어렵지만, 이런 기술적 디테일을 알면 더 안전하게 기기를 사용할 수 있어.

잭: 오늘 덕분에 블루버깅에 대해 많이 배웠어. 고마워, 제이콥!

> 인터넷의 초석, ARPANET

오늘날 인터넷의 초기 버전인 ARPANET은 1969년에 시작되었다. 이 네트워크는 미국 국방부 산하의 ARPA(현재 DARPA)에 의해 개발되었으며, 첫 데이터 전송은 UCLA와 스탠포드 연구소 사이에서 이루어졌다. 이로써 인터넷의 시초가 마련된 것이다.

> 세계 최초의 컴퓨터 바이러스: 크리퍼

1971년, 세계 최초의 컴퓨터 바이러스인 '크리퍼(Creeper)'가 등장했다. 이 바이러스는 ARPANET을 통해 퍼졌으며, 컴퓨터 화면에 "I'm the creeper, catch me if you can!"이라는 메시지를 출력했다. 이를 제거하기 위해 레이 톰린슨이 최초의 안티바이러스 프로그램인 '리퍼(Reaper)'를 개발했다고 한다.

> USB의 발명 비하인드 스토리

USB는 인텔의 엔지니어였던 아자이 바트가 1994년에 개발했다. 당시에는 여러 장치 간에 데이터를 손쉽게 전송할 수 있는 표준 인터페이스가 필요했기 때문에 탄생한 기술이다. 이 기술은 이후 컴퓨터와 주변기기의 연결 방식을 혁신적으로 변화시켰다.

> 하드 디스크의 진화: 5MB의 가격은?
1956년, IBM은 최초의 상업용 하드 디스크 드라이브인 'IBM 305 RAMAC'을 발표했다. 이 드라이브는 5MB의 데이터를 저장할 수 있었고, 가격은 약 35,000달러였으며, 현재 가치로는 약 350,000달러에 해당한다. 당시에는 이는 엄청난 기술 발전이었다.

> 컴퓨터 마우스의 탄생
컴퓨터 마우스는 더글러스 엥겔바트가 1963년에 발명했다. 그는 당시 'XY 포지셔닝 디바이스'라고 불렀으며, 1968년에 샌프란시스코에서 열린 컴퓨터 학회에서 이를 공개적으로 시연했다. 그 이후로 마우스는 컴퓨터 입력 장치의 표준으로 자리 잡았다.

> 첫 번째 이메일과 최초의 @ 기호 사용
최초의 이메일은 1971년 레이 톰린슨에 의해 전송되었다. 그는 '@' 기호를 사용하여 사용자 이름과 도메인을 구분하는 방식을 채택했다. 이 방식은 현재까지도 이메일 주소의 표준 형식으로 사용되고 있다.

> PHP의 탄생

PHP는 1994년에 라스무스 레르도르프가 개발한 스크립팅 언어로
시작되었다. 당시에는 자신의 개인 홈페이지를 관리하기 위한 도
구로 개발되었지만, 현재는 웹 개발에 널리 사용되는 언어로 발전
했다. 초기에는 'Personal Home Page'의 약자였으나, 현재는 재
귀적 약자인 'PHP: Hypertext Preprocessor'로 불린다.

> Wi-Fi의 원래 이름: IEEE 802.11b Direct Sequence

Wi-Fi는 원래 IEEE 802.11 표준에서 유래한 것이다. 1999년에
Wi-Fi Alliance는 이 복잡한 이름을 대신할 마케팅적으로 더 유리
한 이름을 찾기 위해 'Wi-Fi'라는 이름을 만들었다. 흔히 'Wireles
s Fidelity'의 줄임말로 오해되지만, 사실 이 용어는 특정한 의미
가 있다기 보다는 단순히 무선 기술을 의미하는 브랜드명이다.

> 세계에서 가장 비싼 도메인

세상에서 가장 비싸게 팔린 도메인은 Cars.com으로, 무려 8억
7,200만 달러에 거래되었습니다. 이 거래는 2014년에 미국의 언
론 회사인 가넷(Gannett Co., Inc.)이 진행한 것으로, 이 도메인
의 가치를 반영한 전체 거래액은 18억 달러에 달했습니다.

잭: 제이콥, 요즘 새 프로젝트 때문에 머리가 터질 것 같아.

제이콥: 무슨 문제야, 잭? 말해봐. 우리가 함께 해결할 수 있는 문제일 수도 있잖아.

잭: 재귀적 약어를 이해해야 하는데, 이게 생각보다 골치 아프네.

제이콥: 아, 재귀적 약어(recursive acronym)? 재미있는 주제지. 흥미로운 것 중 하나야. 어디서부터 시작할까?

잭: 먼저, 재귀적 약어가 뭔지 정확히 설명해줄 수 있어? 기본적인 정의는 알고 있지만, 깊이 있게 이해하고 싶어.

제이콥: 물론이지. 재귀적 약어는 그 자체의 정의에 자기 자신이 포함된 약어를 말해. 예를 들어, GNU는 "GNU's Not Unix"의 약자야. 여기서 재미있는 점은, GNU 안에 또 GNU가 포함된다는 거지. 그러니까, 그 이름을 계속 풀다 보면 무한히 반복되는 구조야.

잭: 그럼, 이런 재귀적 약어는 왜 만들었을까? 단순히 재미로 만든 건 아닐 텐데.

제이콥: 맞아, 단순한 재미 이상의 의미가 있어. 사실 GNU 프로젝트는 1983년에 리처드 스톨먼이 시작했어. 그는 유닉스 운영체제의 자유 소프트웨어 대안을 만들기 위해 시작했지. 이 프로젝트의 이름에 유닉스와는 다르다는 것을 강조하면서도, 유닉스처럼 강력한 기능을 갖추겠다는 의지를 담고 싶었어. 그래서 'GNU's Not Unix'라는 이름을 생각해낸 거야.

잭: 그렇구나. 재귀적 약어를 통해 자신들의 철학이나 의도를 반영할 수 있다는 거네. 다른 예시도 있을까?

제이콥: 물론이지. 널리 알려진 또 다른 예시로는 PHP가 있어. PHP는 "PHP: Hypertext Preprocessor"의 약자야. 이 역시 재귀적이지. 원래는 'Personal Home Page'라는 뜻이었지만, 이후 웹 개발에 널리 쓰이면서 'Hypertext Preprocessor'로 변경됐어.

잭: 흥미롭네. 그런데, 재귀적 약어가 사용될 때의 문제점은 없을까? 예를 들어, 이해하기 어려운 경우가 많을 것 같은데.

제이콥: 좋은 지적이야. 재귀적 약어는 초기에는 혼란을 줄 수 있어. 특히, IT 용어에 익숙하지 않은 사람들에게는 더 그렇지. 하

지만 한 번 이해하고 나면, 그 자체로 강력한 의사소통 도구가 될 수 있어. 또한, 약간의 유머와 지적 유희를 포함하고 있어 개발자들 사이에서 인기를 끌기도 해.

잭: 그럼, 재귀적 약어를 만들 때 고려해야 할 사항이 있을까?

제이콥: 그렇지. 첫째, 약어의 의미가 분명해야 해. 사용자나 개발자가 그 의미를 쉽게 파악할 수 있어야 하지. 둘째, 너무 억지스럽지 않아야 해. 자연스럽게 그 자체로 의미가 통할 수 있어야 해. 셋째, 그 약어가 나타내는 시스템이나 프로젝트의 본질을 잘 반영해야 해.

잭: 듣다 보니, 재귀적 약어가 단순히 재미를 위한 것만은 아니고, 꽤 심오한 의미를 담고 있다는 걸 알게 됐어. 그런데, 다른 재귀적 약어들에 대해서도 좀 더 알고 싶어. 더 알려줄 수 있어?

제이콥: 물론이지. 예를 들어, WINE은 "WINE Is Not an Emulator"의 약자야. WINE은 리눅스에서 윈도우 프로그램을 실행할 수 있게 해주는 소프트웨어지. 여기서 중요한 점은, WINE이 실제로 에뮬레이터가 아니라는 점을 강조하고 있어. 대신, 윈도우 API를 리눅스에서 구현한 거지.

잭: 그럼, WINE이 실제 에뮬레이터가 아니라는 게 무슨 의미야?

제이콥: 에뮬레이터는 원래 다른 시스템의 하드웨어를 소프트웨어로 모방하는 걸 말해. 하지만 WINE은 하드웨어를 모방하는 게 아니라, 윈도우 소프트웨어가 리눅스에서 실행될 수 있도록 윈도우 API를 제공하는 거야. 그러니까, 에뮬레이션 없이도 윈도우 프로그램을 실행할 수 있는 거지.

잭: 이야기를 듣다 보니, 재귀적 약어가 정말 매력적으로 다가와. 그런데, 재귀적 약어를 이해하는 데 도움이 되는 문서나 자료가 있을까?

제이콥: 보통은 본인들의 철학을 강조하기 위함이기 때문에 각 프로젝트의 문서를 읽는 게 도움이 될 수 있어. 예를 들어 GNU는 리처드 스톨먼의 GNU Manifesto가 있지. 여기에 GNU 프로젝트와 자유 소프트웨어 운동의 철학이 잘 담겨 있어. 그리고, WINE이나 PHP의 공식 문서도 참고할 수도 있어. 각 공식 웹사이트에 가면 프로젝트의 역사와 철학이 잘 설명되어 있으니까.

잭: 좋은 자료 추천 고마워, 제이콥. 덕분에 재귀적 약어에 대해 이해할 수 있었어. 다음에 또 궁금한 게 생기면 물어볼게!

매일 더 똑똑해지는 IT 교양서

ZERO TO ONE

공식 카페 접속하기

소프트웨어 개발자 앤드류 브라운 스마트 워치와 그의 집에 있는 다양한 IoT 장치들을 연결하는 프로젝트를 진행하고 있었다. 앤드류는 스마트 워치에서 TCP/IP 프로토콜을 사용하여 집안의 조명, 온도 조절기, 보안 시스템을 제어하는 애플리케이션을 개발했지만, 해당 방식으로는 해결할 수 없는 구조적 문제가 있어 프로젝트를 일단 중단할 수밖에 없었다. 이후 앤드류는 Bluetooth를 사용해 동일한 프로젝트를 다시 시도했다. 해당 방식으로 성공적으로 모든 장치를 연결하고 제어할 수 있었으며, 배터리 수명도 크게 개선되었다. 다음 중 Bluetooth를 사용한 이유로 가장 적절한 것은 무엇일까?

1. Bluetooth는 TCP보다 데이터 전송 속도가 빠르기 때문이다.

2. Bluetooth는 UDP보다 데이터 전송 속도가 느리기 때문이다.

3. Bluetooth는 TCP/IP에 비해 낮은 전력 소비량을 가진다.

4. Bluetooth는 UDP에 비해 신뢰성이 높기 때문이다.

[정답]
3. Bluetooth는 TCP/IP에 비해 낮은 전력 소비량을 가진다.

[해설]
이 문제는 앤드류 브라운이 스마트 워치와 집안의 IoT 장치들을 연결하는 과정에서 TCP/IP 대신 Bluetooth를 사용한 이유를 묻고 있다. 각 보기에 대해 자세히 살펴보자.

1번 보기는 오답이다. 실제로 TCP/IP와 비교할 때, Bluetooth는 더 낮은 데이터 전송 속도를 제공한다. TCP/IP는 빠른 데이터 전송 속도를 제공하지만, 배터리 소모가 많고, 설정 및 유지 관리가 복잡하다. 따라서 앤드류의 상황에서 이 이유는 부적절하다.

2번 보기도 오답이다. Bluetooth와 UDP는 서로 다른 계층에서 작동하며, Bluetooth는 근거리 무선 통신 프로토콜이고, UDP는 전송 계층 프로토콜이다. 데이터 전송 속도는 상황에 따라 다를 수 있지만, 속도 자체가 주요 요인이 아니었다. 이 이유는 앤드류의 문제와 관련이 없다.

3번 보기가 정답이다. Bluetooth의 주요 장점 중 하나는 낮은 전력 소비량이다. 이는 스마트 워치와 같은 배터리 기반 장치에서 매우 중요하다. TCP/IP는 높은 데이터 전송 속도를 제공하지만, 더 많은 전력을 소모하여 배터리 수명을 줄일 수 있다. 반면에 BI uetooth는 전력 효율성이 높아 장치의 배터리 수명을 연장할 수 있다.

4번 보기도 오답이다. Bluetooth와 UDP는 서로 다른 용도로 사용된다. UDP는 비연결형 프로토콜로, 신뢰성보다는 속도와 효율성을 중시한다. 반면 Bluetooth는 근거리 무선 통신을 위한 프로토콜로, 신뢰성보다는 저전력 소비와 편리성을 중시한다. 따라서 이 이유는 앤드류의 상황과 관련이 없다.

앤드류 브라운이 프로젝트를 성공적으로 수행할 수 있었던 이유는 Bluetooth의 낮은 전력 소비량 덕분이다. 이는 특히 스마트 워치와 같은 작은 배터리 장치에서 중요한 요소이다. Bluetooth는 낮은 전력 소모, 안정적인 연결, 적절한 데이터 전송 속도로 IoT 장치와의 통신에 적합한 선택이 된다.

미국 국가안보국의 전직 요원 레이첼 스미스는 은퇴 후 평화로운 삶을 살고 있었다. 어느 날 그녀는 오래된 친구로부터 수상한 오디오 파일을 받았다. 파일을 들어보니 단순한 클래식 음악 같았지만, 레이첼의 직감은 뭔가 이상하다고 말했다.

그녀는 오디오 분석 소프트웨어를 사용해 파일을 조사하기 시작했다. 주파수 스펙트럼을 살펴보던 중, 그녀는 인간의 가청 범위를 넘어서는 고주파 영역에서 이상한 패턴을 발견했다. 이는 스테가노그래피 기법을 사용해 숨겨진 데이터일 가능성이 높았다.

레이첼은 옛 동료들에게 조언을 구하는 등 숨겨진 메시지를 해독하기 위해 노력했다. 그리고 분석 끝에 어떤 데이터가 숨겨져 있다는 것을 밝혀냈다. 거기에는 어디서 묻어왔을지 모를 프로파간다 메시지가 숨어 있었다. 인간의 무의식을 건드리려는 시도였을 수 있다고 생각했다. 그런 얘기를 들은 기억이 있기 때문이다.

관련하여 다음 중 고주파 영역의 데이터를 식별하는 가장 효과적인 방법은 무엇인가?

1. 오디오 파일을 반복해서 들으며 이상한 소리가 들리는지 확인한다.

2. 오디오 파일의 주파수 스펙트럼을 시각화하여 20kHz 이상의 영역에서 비정상적인 패턴을 찾는다.

3. 오디오 파일의 파형을 시각적으로 관찰하여 불규칙한 진폭 변화를 탐지한다.

4. 오디오 파일을 다양한 속도로 재생하면서 숨겨진 메시지가 들리는지 확인한다.

[정답]

2. 오디오 파일의 주파수 스펙트럼을 시각화하여 20kHz 이상의 영역에서 비정상적인 패턴을 찾는다.

[해설]

오디오 고주파 영역에 숨겨진 데이터를 탐지하고 분석하는 가장 효과적이고 정확한 방법은 주파수 스펙트럼 분석이다. 이는 2번 선택지에 해당한다.

주파수 스펙트럼 분석은 오디오 신호를 주파수 도메인으로 변환하여 시각화하는 기법이다. 이 방법을 통해 우리는 일반적인 가청 주파수 범위(약 20Hz~20kHz)를 넘어서는 영역에서 발생하는 비정상적인 패턴이나 데이터를 쉽게 발견할 수 있다.

스테가노그래피 기법을 사용하여 오디오 파일에 데이터를 숨길 때, 대개 인간의 귀로 감지할 수 없는 고주파 영역(20kHz 이상)을 활용한다. 이 영역에 데이터를 삽입하면 일반적인 청취로는 파일의 변조를 알아차리기 어렵기 때문이다.

주파수 스펙트럼 분석의 장점은 아래와 같다.

1. 시각적 확인: 숨겨진 데이터가 특정 주파수 대역에서 명확한 패턴으로 나타난다.

2. 정확성: 인간의 청각 한계를 넘어선 영역까지 분석할 수 있다.

3. 효율성: 소프트웨어를 통해 빠르고 자동화된 분석이 가능하다.
4. 정량적 분석: 비정상적인 주파수 구성을 수치적으로 평가할 수 있다.

각 선택지에 대한 세부 설명
1. 오디오 파일을 반복해서 듣는 방법은 부적절하다. 고주파 영역 (20kHz 이상)의 데이터는 인간의 귀로 들을 수 없기 때문이다. 주관적이며, 미세한 변화를 감지하기 어렵다.

2. 주파수 스펙트럼 시각화가 정답이다. 과학적이고 객관적인 방법으로, 가청 범위를 넘어선 영역의 데이터도 명확히 확인할 수 있기 때문이다. 데이터의 존재 여부뿐만 아니라 그 특성까지 분석 가능하다.

3. 파형 관찰은 오답이다. 시간 도메인의 파형만으로는 고주파 영역의 미세한 변화를 감지하기 어렵기 때문이다. 스테가노그래피로 숨겨진 데이터는 대개 파형에 큰 영향을 주지 않도록 설계된다.

4. 다양한 속도로 재생은 오답이다. 재생 속도 변경은 주파수를 변화시키지만, 여전히 인간의 가청 범위 내에서만 효과가 있다. 20kHz 이상의 고주파 데이터는 속도를 늦춰도 들을 수 없다.

추가적인 기술적 고려사항으로 아래와 같은 것들이 있다.

- 푸리에 변환(Fourier Transform): 시간 도메인의 신호를 주파수 도메인으로 변환하는 핵심 알고리즘이다.
- 스펙트로그램(Spectrogram): 시간에 따른 주파수 변화를 시각화하여 동적인 분석이 가능하다.
- 고역 통과 필터(High-pass Filter): 저주파 성분을 제거하여 고주파 영역의 분석을 용이하게 한다.

결존적으로, 오디오 고주파 영역의 숨겨진 데이터를 탐지하고 분석하는 데 있어 주파수 스펙트럼 분석은 과학적이고 신뢰할 수 있는 방법이다. 이 기법은 정보보안 및 디지털 포렌식 분야에서 널리 사용되며, 스테가노그래피와 같은 은닉 기술에 대응하는 주요한 도구 중 하나이다.

매일 더 똑똑해지는 IT 교양서

ZERO TO ONE

공식 카페 접속하기

어느 날, 유명한 보안 전문가인 존 밀러가 평소처럼 사무실에서 일하고 있었다. 그는 주로 대화형 인공지능(AI) 시스템의 보안 취약점을 연구하는데 몰두하고 있었다. 그러던 중, 존은 AI 시스템을 탈옥하려는 여러 시도를 탐지해냈다. 그 중 하나는 AI를 통해 악의적인 코드 실행을 시도한 사건이었다. 주요 기술적 기법은 사용자가 AI의 자연어 처리(NLP) 능력을 악용해 시스템 명령어를 실행하도록 유도한 것이었다. 사용자는 의도적으로 복잡하고 난해한 문장을 작성하여 AI가 이를 분석하는 과정에서 명령어를 오인식하도록 했다. 이로 인해 AI는 시스템의 파일을 조작하고 중요한 데이터를 외부로 유출하는 명령을 실행했다. 이후 조사 결과, 해당 AI는 방대한 양의 데이터셋을 학습하면서 명령어를 이해하고 실행할 수 있는 능력을 갖추게 되었으나, 보안 취약점이 충분히 보완되지 않았다는 사실이 밝혀졌다.

존은 이 사건을 해결하기 위해 다양한 기술적 기법을 사용하여 AI의 명령어 오인식을 방지하려 했다. 그는 가장 먼저 AI의 NLP 알고리즘을 개선하고, 명령어 필터링 시스템을 도입하여 비정상적인 명령어 입력을 탐지하고 차단하는 방안을 모색했다. 또한, AI 시스템의 로그를 정밀히 분석하여 사용자의 악의적인 행위를 사전에 탐지할 수 있도록 시스템을 업그레이드했다. 마지막으로, 존은 AI의 학습 데이터셋을 재점검하고, 안전한 데이터만을 포함하도록 필터링 과정을 강화했다.

이 사건에서 사용된 기술적 기법과 관련된 다음 보기 중 옳은 것은 무엇인가?

1. AI의 자연어 처리(NLP) 능력을 악용해 시스템 명령어를 실행하도록 유도한 것은 '프롬프트 인젝션'이라고 한다.

2. AI의 명령어 오인식을 방지하기 위해 도입된 것은 '명령어 필터링 시스템'이다.

3. AI 시스템의 로그를 분석하여 악의적인 행위를 사전에 탐지하는 것은 '행동 기반 탐지' 기법이다.

4. AI의 학습 데이터셋을 안전하게 필터링하는 것은 '데이터 정제' 기법이다.

[정답]

1. AI의 자연어 처리(NLP) 능력을 악용해 시스템 명령어를 실행하도록 유도한 것은 '프롬프트 인젝션'이라고 한다.

[해설]

프롬프트 인젝션(prompt injection)은 AI 시스템에서 사용자가 AI의 자연어 처리(NLP) 능력을 악용해 악의적인 명령어를 실행하도록 유도하는 기법이다. 이번 사건에서도 사용자는 AI가 명령어를 오인식하도록 복잡한 문장을 작성했다. 이러한 기술은 AI 시스템의 보안 취약점을 악용하는 대표적인 사례로, 최근 많이 연구되고 있다.

1. 프롬프트 인젝션: 사용자가 AI의 NLP 능력을 악용해 명령어를 실행하도록 유도하는 기법을 말한다. 프롬프트 인젝션은 AI 시스템이 의도하지 않은 명령을 실행하게 만들 수 있는 위험한 공격 방법이다. 예를 들어, 사용자가 특정 패턴의 문장을 입력하여 AI가 이를 시스템 명령으로 오인하게 만드는 경우가 이에 해당한다. 이번 사건에서 사용자가 AI의 명령어를 오인식하게 만들어 시스템 파일을 조작하고 데이터를 외부로 유출하게 한 것이 프롬프트 인젝션의 대표적인 사례다. (출처: MIT Technology Review)

2. 명령어 필터링 시스템: AI의 명령어 오인식을 방지하기 위해 도입된 것으로, 비정상적인 명령어 입력을 탐지하고 차단하는 시

스템이다. 이는 AI가 올바른 명령어만을 실행할 수 있도록 필터링하는 역할을 한다. 하지만 이 사건에서의 주요 기술적 기법은 아니었다. AI의 명령어 오인식을 방지하기 위해 여러 가지 방법이 존재하지만, 프롬프트 인젝션을 효과적으로 방지하기 위해서는 프롬프트 인젝션 기법을 이해하고 이를 방지하는 기술이 필요하다.

3. 행동 기반 탐지: AI 시스템의 로그를 분석하여 사용자의 악의적인 행위를 사전에 탐지하는 기법이다. 이는 AI가 실행한 명령어와 사용자의 행동 패턴을 분석하여 비정상적인 활동을 탐지하고 차단하는 역할을 한다. 로그 분석과 행동 기반 탐지는 AI 시스템의 보안 강화에 중요한 역할을 하지만, 이번 사건에서 사용된 기술적 기법의 핵심은 아니었다.

4. 데이터 정제: AI의 학습 데이터셋을 안전하게 필터링하는 기법으로, 불필요하거나 유해한 데이터를 제거하고 안전한 데이터만을 학습하도록 하는 과정이다. 이는 AI의 성능을 향상시키고 보안을 강화하는 데 중요한 역할을 한다. 하지만 이번 사건에서 AI의 명령어 오인식을 유도한 주요 기법은 프롬프트 인젝션이었다.

매일 더 똑똑해지는 IT 교양서

ZERO TO ONE

공식 카페 접속하기

『 127 』

1. 최초의 개인 컴퓨터 바이러스는 애정을 담고 있었다

1986년, 두 명의 파키스탄 형제가 만든 '브레인'(Brain)이라는 바이러스는 PC를 겨냥했다. 그들은 바이러스 코드에 자신들의 이름과 전화번호를 포함시켜, 피해를 입은 사람들이 연락할 수 있도록 했다. 이 바이러스는 오늘날의 컴퓨터 바이러스의 시초로 여겨진다.

2. @ 기호는 상업 거래에서 시작되었다

우리가 이메일 주소에 사용하는 @ 기호는 원래 상업용 어음에서 'at the rate of'를 나타내기 위해 사용되었다. 이는 1536년, 스페인에서 시작된 것으로, 상업 거래에서 물건의 가격을 나타낼 때 사용됐다. 이메일 주소에서 @는 'at'의 의미로 쓰이지만, 기원은 상업 거래에서 왔다.

3. 인터넷의 최초 메시지는 'LO'

1969년 UCLA의 한 연구팀은 두 컴퓨터 간의 통신을 테스트하고 있었다. 'LOGIN'이라는 단어를 보내려 했지만 시스템이 다운되면서 'LO'만 전송되었다. 이렇게 해서 인터넷의 첫 번째 메시지는 우연히 'LO'가 되었다.

4. 핀란드의 노키아는 원래 종이를 만들었다

노키아는 1865년에 설립된 작은 종이 제조회사였다. 핀란드의 강에서 물을 끌어다 종이를 만들던 이 회사는 20세기 들어서 고무제품과 전자 제품으로 사업을 확장했다. 현재는 통신 장비 분야에서 세계적인 명성을 얻고 있다.

5. 초기의 컴퓨터 해커는 장난기 넘치는 청소년

1971년, 당시 17세였던 케빈 미트닉은 친구와 함께 로스앤젤레스 버스 시스템을 해킹하여 무료로 버스를 타는 데 성공했다. 그는 이후 해킹 기술을 발전시켜 FBI의 주요 수배자가 되었다. 이는 초기 해킹 사례 중 하나로 여겨진다.

6. 세계에서 가장 오래된 도메인은 아직도 살아있다

1985년, 'symbolics.com'이라는 도메인이 최초로 등록되었다. 이 도메인은 컴퓨터 제조 회사인 Symbolics, Inc.에 의해 등록되었으며, 현재까지도 활성 상태를 유지하고 있다. 인터넷에서 가장 오래된 도메인으로, 도메인 수집가의 소유가 되어 운영되고 있다.

7. 첫 번째 스마트폰은 IBM의 '사이먼'이다

오늘날 스마트폰의 대표주자는 아이폰이지만, 최초의 스마트폰은 1992년 IBM이 개발한 '사이먼'(Simon)이다. 사이먼은 이메일과 팩스를 보낼 수 있고, 터치스크린을 갖춘 세계 최초의 스마트폰이다.

8. 유튜브의 시작은 인터넷 데이트 사이트였다

유튜브의 창립 초기 이야기는 독특하다. 2005년, 유튜브의 공동 창업자였던 채드 헐리, 스티브 첸, 자베드 카림은 인터넷에서 동영상을 쉽게 공유할 수 있는 플랫폼을 만들기로 결심했다. 그들이 떠올린 첫 번째 아이디어는 '동영상 데이트 사이트'였다. 사용자가 자신의 소개 영상을 올리고, 데이트 상대를 찾을 수 있는 플랫폼이었다. 실제로 유튜브의 초기 프로토타입은 데이트 목적으로 동영상을 올리도록 설계되었으며, 이를 통해 동영상 데이트 문화를 만들려 했다. 하지만 이 아이디어는 기대만큼 인기를 끌지 못했고, 결국 2005년 4월, 유튜브는 모든 종류의 동영상을 공유할 수 있는 플랫폼으로 방향을 전환했다.

9. 세계에서 가장 오래된 디지털 사진은 1957년 것

1957년, 러셀 커슈는 자신의 아들의 사진을 디지털화했다. 이 사진은 최초의 디지털 이미지로 기록되며, 현대의 디지털 이미지 처리 기술의 기초가 되었다. 이는 컴퓨터 과학의 중요한 이정표로 여겨진다.

잭슨: 야옹아, 혹시 1988년에 있었던 모리스 웜 사건 들어본 적 있어?

야옹이: 모리스 웜? 뭐야 그게? 뭔가 중요한 사건인 것 같기도 하고.

잭슨: 맞아, 당시 중요한 사건이었어. 모리스 웜은 인터넷 역사상 최초의 웜이니까. 이 웜을 만든 사람은 로버트 타판 모리스라는 MIT 대학원생이었지.

야옹이: 오, MIT 대학원생이 만든 거라니. 그런데 왜 만들었대?

잭슨: 처음엔 단순한 호기심에서 시작했어. 인터넷의 규모를 측정해보고 싶었나봐. 그런데 웜이 너무 잘 퍼져나가는 바람에 큰 문제가 됐어.

야옹이: 얼마나 퍼졌길래 문제가 된 거야?

잭슨: 웜이 퍼지기 시작한 지 몇 시간 만에 수천 대의 컴퓨터가

감염됐어. 당시 인터넷에 연결된 컴퓨터가 많지 않았다는 걸 고려했어도 엄청난 숫자지.

야옹이: 와, 그럼 인터넷 전체가 마비됐겠네?

잭슨: 거의 그랬지. 특히 MIT, 하버드, 스탠포드 같은 주요 대학들이 큰 타격을 입었어. 네트워크 속도가 느려지고, 결국엔 시스템이 다운되는 사태가 벌어졌어.

야옹이: 그럼 사람들이 그걸 막으려고 엄청 고생했겠다?

잭슨: 맞아. 처음엔 어떤 웜인지 파악하는 데도 시간이 걸렸고, 웜을 제거하는 과정에서 데이터를 잃거나 시스템을 복구하는 데 긴 시간이 걸렸어. 당시에는 인터넷을 복구하는 데 수일이 걸렸다고 해.

야옹이: 모리스 웜은 어떻게 퍼진 거야?

잭슨: 웜은 유닉스 기반의 컴퓨터에서 작동했어. 유닉스의 Sendmail 프로그램, rsh 프로토콜, 비밀번호 크래킹 등을 이용했지. 이 웜이 정말 흥미로운 점은, 감염된 시스템에서 복제본을 생성하는 방식이었어. 예를 들어, 웜은 특정 조건을 만족하면 자신을 복제해서 다른 시스템으로 전파됐지.

야옹이: 그러면 그 웜을 만들 때 어떤 기술적인 디테일이 있었던 거야?

잭슨: 모리스는 버퍼 오버플로우와 같은 공격 기법을 사용했어. Sendmail의 버퍼 오버플로우를 이용해서 원격 코드 실행을 가능하게 만들었고, rsh를 통해 신뢰 관계를 이용해 다른 시스템으로 퍼졌지. 그리고 비밀번호 크래킹 기법을 통해 약한 비밀번호를 가진 시스템들을 공격했어. 이 과정에서 해시 값을 무작위 대입 방식으로 풀어내는 크래킹 방식을 사용했지.

야옹이: 와, 치밀하게 설계됐네. 그럼 모리스는 왜 이런 웜을 만든 거야?

잭슨: 모리스는 인터넷의 규모를 측정하고 싶었던 거야. 하지만 그의 예상을 넘어서 너무 빨리, 너무 널리 퍼지게 된 거고. 이게 바로 IT 역사에서 불확실성의 대표적인 예라고 할 수 있어.

야옹이: 모리스는 그럼 벌을 받았어?

잭슨: 응, 모리스는 연방 컴퓨터 사기 및 남용 법(Computer Fraud and Abuse Act)을 위반한 혐의로 기소되어 3년의 보호 관찰, 400시간의 사회봉사, 1만 달러의 벌금을 받았지. 이 사건은 인터넷 보안에 대한 경각심을 크게 일깨워줬어.

야옹이: 그럼 이 사건 이후로 보안 기술이 많이 발전했을까?

잭슨: 맞아. 이 사건 이후로 컴퓨터 보안에 대한 관심이 크게 증가했어. 많은 기관들이 보안 시스템을 강화하고, 네트워크 취약점에 대한 연구를 활발하게 진행하게 되었지. 컴퓨터 보안의 중요성을 일깨워주는 중요한 사건이었어 .

야옹이: 그럼 지금은 그런 웜이 다시 생기면 쉽게 막을 수 있는 거야?

잭슨: 지금은 보안 시스템이 많이 발전해서 웜이 예전처럼 쉽게 퍼지지는 않아. 하지만 여전히 새로운 취약점이 발견될 때마다 큰 문제가 될 수 있어. 항상 최신 보안 패치를 적용하고, 보안 시스템을 강화하는 것이 중요해.

조지는 어느 날 밤, 자신의 이메일이 더 이상 작동하지 않는다는 사실을 깨달았다. 그가 사용하던 도메인이 마치 어디론가 사라진 것처럼 웹사이트도 접속되지 않고, 이메일도 수신되지 않았다. 처음엔 일시적인 기술적 문제라 생각했지만, 도메인 등록 기관에 문의하자 그에게 좋지 못한 소식을 전했다. "더 이상 이 도메인은 당신의 소유가 아닙니다."라는 차가운 답변이었다.

그는 도메인 갱신 기간을 놓친 것이 원인임을 깨달았다. 그리고 이미 다른 사람에게 도메인이 등록되었으며, 이를 되찾기 위해서는 그가 요구하는 막대한 금액을 지불해야 한다는 사실을 알게 되었다. 이 모든 과정은 혼란의 연속이었다. 도메인을 재구매하는 과정에서 그는 등록비 외에도 프리미엄 비용을 추가로 지불하기도 했다.

이 사건은 당시 인터넷 도메인 시장이 막 성장하던 시기에 많은 이들에게 경각심을 주었다. 조지의 사례는 도메인이 어떻게 부여되고, 그 소유권이 어떻게 유지되어야 하는지에 대해 다시 생각해 보게 한다.

다음 보기 중 이메일 도메인의 부여 방식과 관련된 내용으로 옳은 것을 고르시오.

1. 도메인은 국가 정부가 무작위로 배정해 준다.

2. 도메인은 특정 조건을 충족하면 무료로 사용할 수 있다.

3. 도메인은 구매를 통해 소유권을 취득하며, 갱신하지 않으면 소유권을 잃을 수 있다.

4. 도메인은 이메일 서비스 제공자가 기본적으로 제공하며, 소유권 개념이 없다.

[정답]

3. 도메인은 구매를 통해 소유권을 취득하며, 갱신하지 않으면 소유권을 잃을 수 있다.

[해설]

도메인은 인터넷에서 고유하게 식별되는 이름으로, 웹사이트나 이메일 주소의 일부로 사용된다. 도메인 네임 시스템(DNS)을 통해 특정 도메인이 특정 IP 주소에 매핑된다.

1. 이 보기는 사실이 아니다. 도메인은 국가 정부가 아니라 국제 도메인 네임 시스템(DNS)을 관리하는 기관(ICANN)에 의해 관리된다. 도메인 등록은 사용자가 원하는 도메인을 직접 선택하고 등록할 수 있는 시스템으로, 국가 정부가 무작위로 배정하지 않는다. 국가별 도메인(.kr, .jp 등)도 마찬가지로 특정 등록 기관을 통해 사용자가 원하는 도메인을 선택하고 등록할 수 있다.

2. 이 보기는 일부 무료 도메인 서비스가 존재하지만, 대부분의 도메인은 등록비를 지불해야 한다는 점에서 잘못된 정보다. 무료 도메인 서비스는 광고가 포함되거나 기능 제한 등의 제약이 따를 수 있으며, 장기적이고 상업적인 목적에는 부적합하다. 예를 들어, 'Freenom'은 특정 도메인을 무료로 제공하지만, 이는 비상업적 사용에 한정되며 제한된 용도에 맞추어져 있다.

3. 이 보기가 정답이다. 도메인은 인터넷 도메인 등록 기관을 통해 구매하며, 등록된 도메인의 소유권은 일정 기간 유지된다. 그러나 갱신하지 않으면 소유권을 잃게 되어, 다른 사람이 해당 도메인을 등록할 수 있다. 조지 맥켄지의 사례는 도메인 갱신의 중요성을 잘 보여준다. 소유권을 잃지 않기 위해서는 갱신 주기를 놓치지 않고 도메인을 관리해야 한다.

4. 이 보기는 무료 이메일 서비스의 도메인 사용과 혼동된 것이다. 대부분의 무료 이메일 서비스는 자체 도메인을 사용하여 이메일 주소를 제공하지만, 이는 사용자가 직접 소유하는 도메인이 아니다. 예를 들어, Gmail의 '@gmail.com'은 Gmail이 제공하는 도메인으로, 사용자가 이를 소유하지 않는다. 사용자가 고유한 도메인을 소유하려면 별도로 도메인을 구매해야 하며, 이를 통해 맞춤형 이메일 주소를 생성할 수 있다.

도메인은 단순한 이메일 주소 이상의 중요한 자산이며, 이를 적절히 관리하고 유지하는 것이 중요하다.

매일 더 똑똑해지는 IT 교양서

ZERO TO ONE

공식 카페 접속하기

김잭슨: 야옹이, 오픈소스 소프트웨어의 철학에 대해 어떻게 생각해? 내가 알기로는 오픈소스 소프트웨어는 사용자에게 소스 코드를 공개하고, 누구나 수정하고 배포할 수 있게 하는 게 핵심이야. 이는 소프트웨어 개발의 투명성과 협업을 강조하는 거지. 오픈소스의 시작은 1990년대 후반, 리처드 스톨먼이 설립한 자유 소프트웨어 재단(FSF)에서 비롯됐어. 이곳에서 GNU 프로젝트를 시작했는데, 이는 컴퓨터 소프트웨어의 자유로운 사용, 수정, 배포를 보장하는 것이 목적이었지.

야옹이: 맞아, 김잭슨. 그리고 오픈소스 소프트웨어는 단지 코드의 공개뿐 아니라, 공동체의 협력을 통해 소프트웨어의 품질을 높이는 것도 중요한 철학이야. 예를 들어, 리눅스 커널은 전 세계 수많은 개발자들이 참여해 발전시켜 왔어. 리누스 토르발즈가 1991년에 처음 발표한 리눅스는 이제 세계에서 가장 널리 사용되는 운영체제 중 하나지. 하지만, 오픈소스 소프트웨어가 항상 성공적인 것은 아니야. 인터넷 익스플로러는 오픈소스 프로젝트였지만 결국 실패했어.

김잭슨: 야옹이, 인터넷 익스플로러는 오픈소스 프로젝트가 아니었

어. 마이크로소프트가 상업적으로 개발한 소프트웨어였지. 오픈소스 소프트웨어의 성공 사례는 많아. 예를 들어, 아파치 HTTP 서버는 웹 서버 시장의 큰 부분을 차지하고 있어. 아파치는 1995년에 시작된 오픈소스 프로젝트로, 현재 전 세계 웹 서버의 약 40% 이상이 아파치를 사용하고 있어. 또 다른 예로는 파이썬이 있어. 1991년 귀도 반 로섬이 개발한 파이썬은 지금은 머신 러닝과 데이터 분석 분야에서 굉장히 중요한 언어가 되었지.

야옹이: 알겠어, 김잭슨. 내가 착각했네. 하지만 오픈소스 소프트웨어의 철학이 단순히 소스 코드를 공개하는 것만은 아니잖아. 오픈소스는 사용자의 자유를 보장하고, 지식의 공유와 협력을 촉진하는 데 그 목적이 있어. 예를 들어, 아파치 소프트웨어 재단은 다양한 오픈소스 프로젝트를 관리하며, 이들 프로젝트는 모두 사용자의 자유와 협력을 중시해. 또 다른 중요한 철학적 요소는 소프트웨어의 투명성과 보안이야. 소스 코드가 공개되면 누구나 코드를 검토하고, 버그나 보안 취약점을 발견해 수정할 수 있지.

[질문]

다음 중 대와 내용 중 틀린 주장은 무엇인가?

1. 인터넷 익스플로러는 오픈소스 프로젝트였다.

2. 리눅스는 리누스 토르발즈가 1991년에 처음 발표했다.

3. 오픈소스 소프트웨어는 사용자의 자유를 보장하고 협력을 촉진한다.

4. 아파치 소프트웨어 재단은 다양한 오픈소스 프로젝트를 관리한다.

[정답]

1. 인터넷 익스플로러는 오픈소스 프로젝트였다.

[해설]

오픈소스 소프트웨어의 철학은 소프트웨어의 소스 코드를 공개하여 누구나 수정하고 배포할 수 있게 하는 것이다. 이는 협업과 투명성을 강조하는 개발 방식을 추구하며, 자유 소프트웨어 재단(FSF)에서 시작된 GNU 프로젝트가 그 시초이다.

1번 주장은 틀렸다. 인터넷 익스플로러는 마이크로소프트가 개발한 상업용 소프트웨어로, 오픈소스가 아니었다. 마이크로소프트는 소스 코드를 공개하지 않았으며, 사용자들이 자유롭게 수정하거나 배포할 수 없었다.

2번 주장은 맞다. 리누스 토르발즈는 1991년에 리눅스를 처음 발표했으며, 이는 오픈소스 커뮤니티의 중요한 프로젝트로 성장했다. 리눅스 커널은 전 세계 수많은 개발자들의 협력을 통해 지속적으로 발전하고 있다.

3번 주장은 맞다. 오픈소스 소프트웨어는 사용자가 소스 코드를 자유롭게 사용하고 수정하며 배포할 수 있도록 보장하며, 이를 통해 공동체의 협력과 지식 공유를 촉진한다. 이는 오픈소스 소프트웨어의 핵심 철학 중 하나이다.

4번 주장은 맞다. 아파치 소프트웨어 재단은 여러 오픈소스 프로젝트를 관리하며, 이들 프로젝트는 모두 오픈소스 철학을 기반으로 운영된다. 대표적인 예로 아파치 HTTP 서버가 있으며, 이는 웹 서버 시장에서 중요한 위치를 차지하고 있다.

오픈소스 소프트웨어의 철학은 단순히 소스 코드를 공개하는 것 이상으로, 자유, 협력, 투명성, 보안을 중시한다. 이는 오픈소스 커뮤니티의 협력을 통해 소프트웨어의 품질을 높이고, 사용자의 자유를 보장하며, 지식 공유를 촉진하는 것을 목표로 한다.

131

김잭슨: 야옹아, 너 러시아 해커 집단 Fancy Bear에 대해 잘 알지? Fancy Bear는 2008년에 처음 활동을 시작했고, APT28이라고도 불려. 이들은 주로 국가 지원을 받아서 사이버 스파이 활동을 했어. 그중에서 2016년 미국 대선에 개입한 사건이 유명하지.

야옹이: 잭슨아, 너 진짜 잘못 알고 있는 것 같아. Fancy Bear가 2008년에 처음 활동을 시작했다고? 아니야, 2004년에 이미 활동을 시작했어. 그리고 APT28이라고 불리는 것도 맞지만, Tsar Team이나 Sofacy Group이라고도 불려. 2014년 소니 픽처스 해킹 사건도 이들의 소행이야.

김잭슨: 2014년 소니 픽처스 해킹 사건? 그건 북한의 라자루스 그룹이 했던 거잖아. 그리고 Fancy Bear는 주로 Microsoft Office 문서의 제로데이 취약점을 이용해서 공격을 해. 미국 사이버 보안 업체 FireEye가 이들의 정체를 처음 밝힌 건 2015년이었어.

김잭슨: FireEye가 2015년에 Fancy Bear를 처음 밝혔다는 건 맞아. 하지만 이들이 사용한 공격 방법은 Microsoft Office 문서의 제로데이 취약점뿐만 아니라, 파워쉘 스크립트와 피싱 메일도

많이 활용했어. 그리고 Fancy Bear는 단순한 사이버 스파이 활동뿐만 아니라, 정보 유출과 정치적 혼란을 잊으키기 위한 활동도 많이 했지.

[질문]
다음 중 틀린 주장은 무엇인가?

1. Fancy Bear는 2008년에 처음 활동을 시작했다.

2. Fancy Bear는 APT28, Tsar Team, Sofacy Group이라는 이름으로도 불린다.

3. 2014년 소니 픽처스 해킹 사건은 Fancy Bear의 소행이다.

4. Fancy Bear는 2016년 미국 대선에서 DNC 이메일 서버를 해킹했다.

[정답]

3. 2014년 소니 픽처스 해킹 사건은 Fancy Bear의 소행이다.

[해설]

Fancy Bear는 2008년에 처음 활동을 시작했다: 이 주장은 일부 자료에 근거한 것으로, 널리 알려진 시작 시점이다. 여러 보안 전문가들이 Fancy Bear의 활동을 처음 포착한 시점에 따른 것이다. 그래서 틀리지 않다.

1. Fancy Bear는 APT28, Tsar Team, Sofacy Group으로 불린다: 이 주장은 사실이다. Fancy Bear는 여러 이름으로 불리며, 이는 주로 사이버 보안 연구자들이 그룹을 식별하기 위해 사용하는 명칭들이다. 다양한 이름은 이 그룹이 여러 해에 걸쳐 다양한 공격을 수행했음을 반영한다.

2. 2014년 소니 픽처스 해킹 사건은 Fancy Bear의 소행이다: 이 주장은 틀렸다. 2014년 소니 픽처스 해킹 사건은 Fancy Bear가 아닌 북한의 해킹 그룹인 라자루스 그룹(Lazarus Group)의 소행으로 알려져 있다. 이 사건은 북한이 소니 픽처스가 제작한 영화 "인터뷰"에 대한 보복으로 일으킨 것으로 추정된다.

3. Fancy Bear는 2016년 미국 대선에서 DNC 이메일 서버를 해킹했다: 이 주장은 사실이다. 2016년 미국 대선에서 Fancy Bear

는 민주당 전국위원회(DNC)의 이메일 서버를 해킹하여 대량의 이메일을 유출했다. 이는 선거에 큰 영향을 미쳤으며, 이후 여러 조사에서 Fancy Bear의 개입이 밝혀졌다.

4. Fancy Bear는 주로 러시아 정부와 연계된 사이버 스파이 그룹으로 알려져 있으며, 여러 중요한 사이버 공격에 연루되어 있다. 이들은 다양한 해킹 기법을 사용하며, 주로 정치적 목적을 위해 정보를 탈취하고 공개하는 활동을 해왔다. Fancy Bear의 활동은 국가 차원의 사이버 위협으로 간주되며, 여러 국가의 사이버 보안 기관들에 의해 지속적으로 추적되고 있다.

132

김잭슨: 야옹아, 요즘 소셜 미디어에 대해 좀 걱정이 생겼어. 소셜 미디어가 사용자의 정신 건강을 악화시키는 알고리즘을 사용한다는 말이 있는데, 이게 사실일까?

야옹이: 어느 정도는 사실이야. 여러 연구 결과도 뒷받침하고 있어. 조금 알려줄까?

김잭슨: 응 꼭! 근데 너무 어렵게 말하지 말고 쉽게 설명해줘. 어떻게 소셜 미디어가 우리 정신 건강에 영향을 미친다는 거야?

야옹이: 소셜 미디어 플랫폼은 사용자가 더 오래 머물게 하려고 자체적인 알고리즘을 사용해. 이 알고리즘은 사람들이 어떤 콘텐츠에 반응하는지, 얼마나 오래 머무는지를 분석해서 사용자의 흥미를 끄는 콘텐츠를 계속 보여주는 거야.

김잭슨: 그러면 구체적으로 어떤 방식으로 우리 감정에 영향을 미치는 거야?

야옹이: 예를 들어, 소셜 미디어 알고리즘은 사람들이 부정적인

감정에 더 강하게 반응하는 경향이 있다는 걸 알고 있어. 그래서 자극적이거나 논쟁적인 콘텐츠를 더 많이 보여주지. 뉴스피드에 감정적인 이야기나 화나는 이야기가 자주 보이는 이유가 그거야. 이런 콘텐츠를 자주 접하면 스트레스가 쌓이겠지.

김잭슨: 그렇구나. 사람들의 더 많은 반응을 이끌어내기 위해 부정적인 감정을 유발하는 콘텐츠를 더 많이 보여준다는 거네. 그런데 이게 진짜 연구로도 증명이 된 거야?

야옹이: 맞아. 2018년 미국 펜실베이니아 대학교의 연구진이 2,600명의 소셜 미디어 사용자들을 대상으로 한 연구가 있어. 이 연구에 따르면 소셜 미디어 사용 시간이 길어질수록 우울증과 불안감이 증가하는 경향이 발견됐어. 또, 2014년에 발표된 논문에서는 소셜 미디어가 사용자들의 감정을 조작할 수 있다는 것도 보여줬어.

김잭슨: 감정을 조작한다고? 그거는 무슨 말이야?

야옹이: 2012년에 소셜 미디어 플랫폼이 사용자들 몰래 실험을 한 적이 있어. 68만 명의 사용자 뉴스피드를 조작해서 긍정적인 포스트와 부정적인 포스트를 더 많이 보여준 거지. 그 결과, 긍정적인 포스트를 많이 본 사람들은 기분이 좋아졌고, 부정적인 포스트를 많이 본 사람들은 기분이 나빠졌어. 이 실험 결과는 2014년

에 논문으로도 발표됐고 큰 논란이 됐지. 어떻게 보면 당연한 이야기지만 반복적인 실험을 통해 인과 관계가 확실해졌다는 데 의미가 있어.

김잭슨: 와, 그렇게 직접적으로 감정에 영향을 줄 수 있다니 무섭다. 그러면 소셜 미디어가 그렇게 사용자들을 조작하려는 이유는 뭐야?

야옹이: 간단해. 사용자들을 더 오래 머무르게 해서 더 많은 광고를 보게 만드는 거야. 소셜 미디어의 수익 모델은 광고 수익에 기반하고 있거든. 사용자가 더 오래 머무르면 광고 노출이 늘어나고, 그만큼 수익도 증가하지.

김잭슨: 그렇구나. 그런데 이런 알고리즘이 우리 정신 건강에 미치는 영향을 어떻게 막을 수 있을까?

야옹이: 일단, 소셜 미디어 사용 시간을 줄이는 게 가장 기본적인 방법이야. 그리고 뉴스피드를 무작위로 보는 대신, 자신이 정말 관심 있는 주제나 사람의 콘텐츠만 보도록 설정하는 것도 좋아. 또, 정기적으로 소셜 미디어를 완전히 끊고 디지털 디톡스를 하는 것도 도움이 될 수 있어.

김잭슨: 맞아. 나도 가끔 너무 많은 정보에 질릴 때가 있어. 디지

턱 디톡스 한번 해봐야겠어. 그런데 이런 알고리즘 문제를 해결하려는 움직임도 있어?

야옹이: 물론이지. 몇몇 나라에서는 소셜 미디어 기업에게 알고리즘의 투명성을 요구하는 법안을 준비 중이야. 예를 들어, 유럽연합의 GDPR처럼 개인의 데이터 권리를 강화하는 움직임이 있지. 그리고 소셜 미디어 회사도 최근에는 사용자의 정신 건강을 고려한 새로운 기능을 추가하려고 노력 중이야. 예를 들어, 사용자가 소셜 미디어 사용 시간을 설정하고 제한할 수 있게 하는 기능이라든지.

김잭슨: 아, 그런 기능이 있으면 좋겠다. 그런데 그렇게 하면 소셜 미디어 회사의 수익이 줄어들지 않을까?

야옹이: 맞아, 그래서 기업 입장에서는 딜레마야. 하지만 장기적으로는 사용자들의 신뢰를 유지하는 게 더 중요하니까 점점 더 많은 기업이 사용자 건강을 고려하는 방향으로 나아가고 있어.

133

비트코인의 정체는 언제까지 미스터리일까

비트코인을 만든 사람으로 알려진 나카모토 사토시는 아직도 그 정체를 알 수 없다. 2009년, 사토시는 처음 비트코인을 공개하고 곧바로 사라졌다. 여러 사람이 사토시라고 주장하거나 지목되었지만, 누구도 실제로 사토시임을 확실히 입증하지 못했다. 그래서 현재까지도 사토시는 블록체인 세계의 큰 미스터리로 남아 있다.

블록체인은 단순히 비트코인만의 기술이 아니다

블록체인은 비트코인의 기반 기술로 알려져 있지만, 사실 훨씬 더 많은 용도로 사용되고 있다. 예를 들어, 월마트는 블록체인을 사용해 식품 공급망을 추적하고 있다. 덕분에 식품의 생산지부터 판매지까지 모든 과정을 투명하게 추적할 수 있다. 이 기술 덕분에 식품의 신뢰성을 크게 향상시킬 수 있다.

첫 번째 비트코인 거래는 피자 두 판이었다

2010년 5월 22일, 한 프로그래머가 1만 비트코인으로 피자 두 판을 샀다. 당시에는 큰 가치가 없는 거래였지만, 오늘날 그 1만 비트코인의 가치는 수백만 달러에 달한다. 그래서 이날은 '비트코인 피자 데이'로 기념되고 있다.

에스토니아, 블록체인으로 디지털 사회 구축

에스토니아는 2012년부터 블록체인을 사용해 전자 정부를 운영하고 있다. 주민등록, 의료 기록, 법원 기록 등 대부분의 행정 데이터를 블록체인에 저장해 보안성과 투명성을 높였다. 이로 인해 에스토니아는 세계 최초로 블록체인 기반의 디지털 사회를 구축한 나라가 되었다.

고양이 게임이 블록체인 네트워크를 마비시켰다

2017년, '크립토키티'라는 블록체인 게임이 이더리움 네트워크를 혼란에 빠뜨렸다. 이 게임은 디지털 고양이를 사고 파는 게임으로, 사용자들이 너무 많이 몰려 이더리움 네트워크의 트랜잭션이 지연되는 사태가 발생했다. 이 사건은 블록체인의 확장성 문제를 일깨워 주는 계기가 되었다.

블록체인으로 투명한 선거 가능

블록체인은 선거 과정에서도 큰 역할을 할 수 있다. 실제로 서아프리카의 시에라리온에서는 2018년 블록체인을 이용한 투표 시스템을 시험적으로 도입해 보았다. 이를 통해 투표 과정의 투명성과 신뢰성을 크게 높일 수 있었으며, 향후 더 많은 국가에서 이를 도입할 가능성을 확인시켜주었다.

『 134 』

2010년 5월 22일, 라스즐로 핸예츠라는 프로그래머가 비트코인으로 피자를 주문하는 역사적인 사건이 일어났다. 그는 당시 10,000 비트코인을 지불하고 두 판의 피자를 구매했다. 이 사건은 이후 '비트코인 피자 데이'로 불리며 매년 기념되고 있다. 또한 이 사건은 여전히 많은 궁금증을 자아내고도 있다. 당시 라스즐로는 왜 그렇게 많은 비트코인을 지불했을까? 비트코인이 아직 그다지 가치가 없기 때문일까? 아니면 단순히 피자가 너무 먹고 싶었기 때문일까? 실제로 그 피자는 오늘날 가치로는 수억 달러에 해당하는 금액이었다. 이 사건은 비트코인의 초기 사용 사례 중 하나로, 비트코인의 가치와 그 변화에 대해 많은 사람들에게 충격을 주었다.

그런데 이와 비슷한 또 다른 이야기도 있다. 비슷한 시기에 한 익명의 사용자가 5,000 비트코인으로 중고 자동차를 구매했다고 주장했다. 이 이야기는 많은 사람들에게 회자되었으나, 그 진위는 아직까지 밝혀지지 않았다. 과연 이 두 사건 중에서 허구인 것은 무엇일까?

1. 야옹이: 당연히 중고 자동차 이야기가 허구야

2. 김잭슨: 아니야, 피자 이야기야

3. 유나: 둘 다 사실일 수도 있어

4. 칼리: 둘 다 허구일 수도 있잖아

[정답]
1. 야옹이: 당연히 중고 자동차 이야기가 허구야

[해설]
비트코인으로 피자를 구매한 사건은 2010년 5월 22일 라스즐로 핸예츠가 10,000 비트코인으로 두 판의 피자를 주문한 실제 사건이다. 이는 비트코인 역사에서 매우 중요한 사건으로, 비트코인의 첫 실질적 거래로 기록되고 있다. 이 사건은 비트코인 커뮤니티에서 '비트코인 피자 데이'로 기념된다. 당시 비트코인의 가치는 매우 낮았고, 라스즐로는 자신이 가진 비트코인을 실생활에서 사용해 보고자 하는 마음에 그렇게 많은 비트코인을 지불했다.

반면, 5,000 비트코인으로 중고 자동차를 구매한 사건은 실제로 일어난 적이 없다. 이런 일이 있을 법도 하지만 그 진위는 확인되지 않은 허구의 이야기이다. 비트코인의 초기 사용 사례가 드물었던 시기였기 때문에 이와 유사한 이야기들이 종종 떠돌았지만, 중고 자동차 거래와 관련된 확실한 기록은 없다.

이 사건은 비트코인의 초기 사용과 그 가치 변화를 이해하는 데 도움이 된다. 비트코인의 가치는 시간이 지나면서 극적으로 변화하였고 많은 사람에게 새로운 금융 시스템의 가능성을 보여준 중요한 사례이다.

매일 더 똑똑해지는 IT 교양서

ZERO TO ONE

공식 카페 접속하기

오픈소스와 자유 소프트웨어의 차이에 대한 이야기다. 한 유명한 개발자가 O'Reilly Open Source Convention(OSCON)에서 자유 소프트웨어와 오픈소스 소프트웨어에 대한 대규모 강연을 했다. 강연 후, 토론 시간이 마련되었다. 그중 한 대화가 인상적이었다.

토론 중에 있었던 일이다. 토론에 참석한 개발자 중 한 명인 마크는 자유 소프트웨어와 오픈소스 소프트웨어의 차이점을 이해하지 못하고 혼란스러워했다. 에릭은 "자유 소프트웨어는 사용자의 자유를 보호하는 데 중점을 둔다. 이는 프로그램을 실행하고, 수정하고, 배포할 자유를 포함한다"고 설명했다. 반면, 옆에 있던 또 다른 개발자 리사도 자신의 의견을 말했다. "오픈소스는 소프트웨어의 접근성을 높이는 데 중점을 둔다. 이는 소스 코드를 공개하여 누구나 수정하고 배포할 수 있게 한다는 점에서 자유 소프트웨어와 비슷하지만, 자유에 대한 철학적인 측면보다는 실용성에 초점을 맞춘다."

에릭은 마크에게 더 깊은 이해를 돕기 위해 두 개념의 철학적 배경을 설명했다. 자유 소프트웨어는 리처드 스톨먼이 1983년에 시작한 GNU 프로젝트와 관련이 깊다. 그는 사용자에게 소프트웨어를 자유롭게 사용할 권리를 주고자 했다. 반면, 오픈소스는 1998년 넷스케이프가 소스 코드를 공개하면서 탄생한 개념으로, 더 많은 사람에게 협업의 기회를 제공하고자 했다.

이 이야기를 통해 알 수 있는 것은 무엇일까? 다음 주장 중 어떤 것이 옳은지 고르시오.

1. 김잭슨: 자유 소프트웨어는 프로그램을 수정하고 배포할 자유가 없다는 말이야?

2. 야옹이: 오픈소스는 소프트웨어를 수정할 수 있는 자유를 강조하지만, 사용자에게 철학적인 자유를 제공하지는 않는다는 말이지?

3. 칼리: 자유 소프트웨어와 오픈소스는 동일한 개념이야, 아무런 차이가 없어.

4. 유나: 오픈소스는 사용자의 자유를 보장하기 위한 것이 아니라, 소스 코드 접근성을 높이기 위한 것 아니야?

4. 유나: 오픈소스는 사용자의 자유를 보장하기 위한 것이 아니라, 소스 코드 접근성을 높이기 위한 것이야?라, 소스 코드 접근성을 높이기 위한 것 아니야?

[해설]
이 문제는 오픈소스와 자유 소프트웨어의 차이에 대한 심도 있는 이해를 요구한다.

김잭슨의 주장은 틀렸다. 자유 소프트웨어는 프로그램을 수정하고 배포할 자유를 포함한다. 이는 자유 소프트웨어의 핵심 원칙 중 하나다. 자유 소프트웨어는 사용자가 소프트웨어를 어떻게 사용할지, 수정할지, 배포할지에 대해 자유를 제공한다.

야옹이의 주장은 부분적으로 맞지만, 질문의 맥락에서 보면 틀린 답변이다. 오픈소스는 소프트웨어를 수정할 수 있는 자유를 제공하지만, 이는 실용성에 더 중점을 둔다. 철학적인 자유를 제공하지 않는다는 것은 오해의 소지가 있다. 오픈소스는 여전히 많은 자유를 제공하지만, 철학적인 측면이 덜 강조될 뿐이다.

칼리는 명백히 틀렸다. 자유 소프트웨어와 오픈소스는 동일한 개념이 아니다. 이 둘은 서로 다른 철학적 배경과 목표를 가지고 있다. 자유 소프트웨어는 사용자의 자유에 초점을 맞추고, 오픈소스는 소스 코드의 접근성과 협업에 초점을 맞춘다.

유나의 의견이 맞다. 오픈소스는 소스 코드 접근성을 높이는 데 중점을 둔다. 이는 더 많은 사람이 소스 코드에 접근하고, 수정하고, 배포할 수 있게 하여 협업의 기회를 제공한다. 그러나 이는 철학적인 자유보다는 실용적인 측면을 강조한다.

그렇다. 자유 소프트웨어는 리처드 스톨먼이 1983년에 시작한 GNU 프로젝트에서 비롯되었으며, 사용자의 자유를 보장하는 데 중점을 둔다. 반면, 오픈소스는 1998년 넷스케이프가 소스 코드를 공개하면서 탄생했으며, 소스 코드의 접근성과 협업의 기회를 강조한다.

136

김잭슨: 야옹아, 요즘 디지털 서명에 대해 궁금한 게 많아. 대체 디지털 서명이 뭐야?

야옹이: 오, 디지털 서명이라. 꽤 흥미로운 주제네! 디지털 서명은 전자 문서나 메시지의 진위를 확인하고 변조되지 않았음을 증명하는 일종의 전자적 서명 방법이야. 쉽게 말해, 디지털 문서에 "이 문서가 나한테서 온 게 맞다"는 도장을 찍는 것과 비슷해.

김잭슨: 아, 뭔가 인증서처럼 쓰인다는 거구나? 그럼 이게 어떻게 작동하는 거야?

야옹이: 음, 설명하기 전에 간단한 개념 하나 잡고 가자. 디지털 서명은 공개키 암호화 방식을 사용해. RSA나 ECC 같은 공개키 암호화 알고리즘을 사용하는 거지. 이 방식은 공개키와 개인키라는 두 개의 키를 사용하는데, 공개키는 모두에게 공개되고 개인키는 본인만 가지고 있어.

김잭슨: 오, 그건 이해했어. 그럼 구체적으로 디지털 서명 과정은 어떻게 진행돼?

야옹이: 좋아, 하나하나 설명해 줄게. 먼저, 디지털 서명을 생성하려는 문서의 해시 값을 계산해. 해시 값은 문서의 내용을 압축해 고정된 길이의 데이터로 만드는 거야. 예를 들어, SHA-256 해시 알고리즘을 사용하면 어떤 크기의 문서든지 256비트 길이의 해시 값을 얻을 수 있지. (참고: SHA-256 알고리즘은 NIST의 FIPS PUB 180-4에서 정의됨).

김잭슨: 문서를 압축해? 해시 값을 만들면 뭐가 좋은데?

야옹이: 해시 값은 문서의 고유한 지문 같은 거야. 원본 문서가 조금이라도 변하면 해시 값이 완전히 달라져. 그래서 문서의 무결성을 확인하는 데 유용하지. 자, 이제 이 해시 값을 개인키로 암호화해. 이게 바로 디지털 서명이야.

김잭슨: 그럼 해시 값을 암호화해서 디지털 서명을 만든다는 거네? 그렇다면 이걸 어떻게 검증해?

야옹이: 상대방이 서명된 문서를 받으면, 문서의 해시 값을 다시 계산해. 그 다음, 보낸 사람의 공개키로 디지털 서명을 복호화해 얻은 해시 값과 비교하는 거야. 만약 두 해시 값이 일치하면, 문서가 변조되지 않았고, 서명자가 진짜라는 걸 확인할 수 있지. (참고: 공개키 암호화 방식은 Diffie-Hellman 1976년 논문 "New

Directions in Cryptography"에서 처음 제안됨).

김잭슨: 그럼, 공개키는 모두가 볼 수 있는 거니까 누구나 검증할 수 있는 거네?

야옹이: 맞아! 그래서 공개키를 안전하게 배포하고 신뢰할 수 있는 기관에서 발급받는 게 중요해. 이런 역할을 하는 게 바로 인증기관(Certificate Authority, CA)이야. 인증기관은 공개키와 소유자의 신원을 담은 디지털 인증서를 발급해주지. (참고: CA의 역할은 RFC 5280에서 설명됨).

김잭슨: 그렇구나. CA가 신뢰할 수 있는 기관이면 그 공개키도 믿을 수 있는 거고. 그런데 디지털 서명은 어디에 많이 쓰여?

야옹이: 디지털 서명은 다양한 곳에서 사용돼. 예를 들어, 소프트웨어 배포, 전자 메일, 전자 상거래, 전자 정부 서비스 등. 특히 법적 효력이 있는 문서의 전자 서명으로 많이 사용되고 있어. (참고: 전자 서명 법적 효력은 미국의 ESIGN Act 2000과 EU의 eIDAS Regulation 2016에서 규정됨).

김잭슨: 그러면 보안 측면에서는 어떤 이점이 있어?

야옹이: 일단, 문서의 위조를 방지할 수 있어. 디지털 서명을 통

해 문서가 원본 그대로인지 확인할 수 있지. 또한, 서명자의 신원을 보장하므로 신뢰성을 높여줘. 예를 들어, 전자 계약서에 디지털 서명을 하면, 누가 계약했는지 명확하게 알 수 있어.

김잭슨: 그렇다면 디지털 서명에도 약점이 있지 않아? 만약 개인키가 유출되면 어떻게 돼?

야옹이: 맞아, 개인키가 유출되면 큰 문제가 돼. 그래서 개인키를 안전하게 보관하는 게 중요해. 또한, 만약 개인키가 유출되면 즉시 인증기관에 알리고, 해당 키를 폐기한 후 새로운 키를 발급받아야 해. 이런 이유로 스마트카드나 하드웨어 보안 모듈(Hardware Security Module, HSM) 같은 안전한 저장소를 사용하는 경우도 많아. (참고: HSM의 사용은 NIST의 SP 800-57에서 권장됨).

김잭슨: 아, 그래서 보안에 신경을 많이 쓰는 거구나. 근데 해시 알고리즘은 해시 충돌 문제 때문에 위험하지 않아?

야옹이: 맞아, 해시 충돌이 발생하면 동일한 해시 값을 가지는 다른 문서를 만들 수 있어. 그래서 강력한 해시 알고리즘을 사용하는 게 중요해. 예전엔 MD5나 SHA-1을 많이 썼지만, 지금은 SHA-256 같은 더 안전한 알고리즘을 사용해. (참고: MD5와 SHA-1의 취약성은 2005년 Wang et al. 논문에서 공개됨).

김잭슨: 흠, 마지막으로 하나 더! 블록체인에서도 디지털 서명이 사용되잖아? 그건 어떻게 사용되는 거야?

야옹이: 블록체인에서도 디지털 서명이 핵심적인 역할을 해. 블록체인에서는 거래 내역을 기록할 때, 각 거래가 정당한지를 확인하기 위해 디지털 서명을 사용해. 거래를 발생시킨 사용자는 자신의 개인키로 거래 데이터를 서명하고, 다른 노드들은 이 서명을 공개키로 검증해 거래의 유효성을 확인하지. 이렇게 함으로써 블록체인 네트워크의 신뢰성과 무결성을 유지할 수 있어. (참고: 블록체인의 디지털 서명 사용은 Nakamoto의 비트코인 백서에서 설명됨).

김잭슨: 와, 진짜 디지털 서명이 중요한 역할을 하는구나. 이제야 이해가 좀 된 것 같아. 고마워, 야옹아!

매일 더 똑똑해지는 IT 교양서
ZERO TO ONE

공식 카페 접속하기

어느 날 오픈 소스 프로젝트 관리자인 마크는 한 가지 심각한 문제에 직면했다. 한 대형 소프트웨어 기업이 마크의 프로젝트에서 배포한 GPL 라이선스 소프트웨어 코드를 무단으로 사용했다는 소식이 들려온 것이다.

해당 기업은 이 소프트웨어를 자신들의 상업용 제품에 통합하여 배포하고 있었고, 원 저작자에게 어떠한 공지도 하지 않았다. 마크는 분노와 실망을 느끼며 즉시 법적인 조처를 하기로 결심했다. 그는 법원에 소송을 제기했고, 사건은 세간의 이목을 끌었다. 법정에서 마크는 해당 기업이 GPL 라이선스의 조건을 위반했음을 주장했다.

이와 관련하여 GPL 라이선스의 법적 강제력에 대한 의견들이다. 이 중 가장 옳은 말을 한 사람은?

1. 김잭슨: GPL 라이선스가 법적으로 구속력을 가지려면 국가마다 다른 법적 체계가 필요할 거야. 마크는 아마 그 부분에서 어려움을 겪었을 거야.

2. 유나: 기업들이 이런 문제를 일으킬 때마다 소송으로 이어지는 게 일반적이지는 않아. 대부분은 합의로 해결되겠지.

3. 칼리: 당연히 GPL 라이선스는 법적인 강제력이 있어. 그렇지 않다면 오픈 소스 소프트웨어를 사용할 이유가 없잖아.

4. 야옹이: GPL 라이선스는 법적인 강제력이 없어. 그냥 소프트웨어 사용에 대한 일종의 도덕적인 지침일 뿐이야.

[정답]
3. 칼리: 당연히 GPL 라이선스는 법적인 강제력이 있어. 그렇지 않다면 오픈 소스 소프트웨어를 사용할 이유가 없잖아.

[해설]
GPL 라이선스는 법적인 강제력이 있다. 마크의 사례는 이를 잘 보여준다. 실제로 GPL 라이선스는 저작권법에 근거하여 작성된 문서로, 이를 위반하면 법적 책임을 질 수 있다.

칼리의 의견은 정답이다. GPL 라이선스는 법적으로 구속력이 있으며, 이를 위반하면 법적인 조치가 가능하다. 이는 저작권법의 보호를 받기 때문에, 사용자는 GPL의 조건을 준수해야 한다.

김잭슨의 의견은 틀렸다. GPL 라이선스는 국가별로 다른 법적 체계가 필요하지 않다. 저작권법은 국제적으로 통용되는 법률이며, 대부분 국가에서 이를 따르고 있다. 따라서 마크가 겪는 어려움은 주로 법적 절차나 증거 제시에 관한 것이지, 법적 체계의 차이에서 기인하지 않는다.

유나의 의견은 부분적으로 맞지만, 맥락 면에서 틀렸다. 기업들이 GPL 라이선스를 위반했을 때 합의로 해결되는 경우도 많다. 그러나 법적 강제력이 없다는 의미는 아니다. 실제로 법적 소송을 통해서도 해결할 수 있으며, 이는 GPL 라이선스의 강제력을 입증하는 방법의 하나다.

야옹이의 의견은 완전히 틀렸다. GPL 라이선스는 단순한 도덕적인 지침이 아니다. 이는 저작권법에 따라 보호받는 법적 문서로, 이를 위반할 때 법적인 처벌을 받을 수 있다. 라이선스는 오픈 소스 커뮤니티의 저작권을 보호하고, 사용자들이 이를 준수하도록 한다.

매일 더 똑똑해지는 IT 교양서

ZERO TO ONE

공식 카페 접속하기

김잭슨: 야옹이, 요즘 사람들이 왜 열심히 만든 소프트웨어를 오픈 소스로 공개하는지 알고 싶어. 넌 어떻게 생각해?

야옹이: 잭슨이, 그건 많은 이유가 있지. 첫 번째로, 커뮤니티의 힘을 빌려서 소프트웨어를 더 빨리 발전시킬 수 있어. 예를 들어, 리눅스 커널은 1991년에 리누스 토르발즈가 처음 시작했는데, 지금은 전 세계 수많은 개발자가 참여하면서 거대한 프로젝트가 되었지. 또, 오픈 소스로 공개하면 더 많은 사람들이 사용하면서 버그를 찾고 개선할 수 있어.

김잭슨: 그건 알겠어, 하지만 경제적인 이유도 있지 않을까? 예를 들어, 오픈 소스로 공개해서 더 많은 사람이 사용하게 되면 그만큼 시장 점유율도 높아지고, 결국엔 돈을 벌 기회가 더 많아지잖아. 예를 들어, 레드햇은 오픈 소스 소프트웨어를 기반으로 한 서비스를 제공하면서 큰 수익을 내고 있으니까.

야옹이: 그렇지. 그런데 잭슨이, 꼭 돈 때문만은 아니야. 많은 개발자는 오픈 소스를 통해 본인들의 기술력을 입증하고, 이를 통해 더 나은 직업 기회를 얻고 싶어 해. 실제로, 많은 기업이 오픈 소

스 프로젝트에서 활약하는 개발자들을 스카우트해 가고 있어. 오픈 소스를 통해 자신을 홍보하는 셈이지.

김잭슨: 그런 점도 있겠네. 하지만, 내가 듣기로는 일부 사람들은 오픈 소스를 통해 특정한 기술 표준을 확립하려고 한다고 하더라고. 예를 들어, 아파치 소프트웨어 재단 같은 곳에서는 다양한 오픈 소스 프로젝트를 통해 웹 서버, 빅데이터 처리 등 여러 분야에서 사실상 표준을 만들어 가고 있지 않나?

야옹이: 맞아, 표준화도 큰 이유 중 하나야. 하지만, 또 다른 중요한 이유는 사회적 책임감과 윤리적 신념이야. 오픈 소스를 통해 누구나 접근할 수 있고, 이를 통해 더 나은 세상을 만들고자 하는 개발자들도 많아. 예를 들어, 코딩 교육을 무료로 제공하는 플랫폼들이나, 어려운 환경에 있는 사람들에게 기술을 보급하는 프로젝트들이 그래.

[질문]

위 대화에서 내용 중 틀린 것은 무엇인가?

1. 리눅스 커널은 리누스 토르발스가 처음 시작했으며, 지금은 많은 개발자들이 참여하는 거대한 프로젝트가 되었다.

2. 레드햇은 오픈 소스 소프트웨어를 기반으로 한 서비스를 제공하면서 큰 수익을 내고 있다.

3. 많은 개발자는 오픈 소스 프로젝트를 통해 기술력을 입증하고 더 나은 직업 기회를 얻는다.

4. 아파치 소프트웨어 재단은 오픈 소스 프로젝트를 통해 웹 서버와 빅데이터 처리 등 여러 분야에서 사실상 표준을 만들고 있다.

[정답]

4. 아파치 소프트웨어 재단은 오픈 소스 프로젝트를 통해 웹 서버와 빅데이터 처리 등 여러 분야에서 사실상 표준을 만들고 있다.

[해설]

1번: 리눅스 커널은 1991년 리누스 토르발스에 의해 시작되었으며, 현재는 전 세계 수많은 개발자가 참여하고 있는 거대한 오픈 소스 프로젝트다. 이는 사실이며, 리눅스 커널의 성공적인 발전 사례는 오픈 소스 커뮤니티의 협력과 참여 덕분이다.

2번: 레드햇은 오픈 소스 소프트웨어, 특히 리눅스를 기반으로 한 서비스를 제공하며 큰 수익을 내고 있다. 레드햇은 2019년에 IBM에 인수되었으며, 이는 오픈 소스 소프트웨어를 활용한 비즈니스 모델의 성공을 보여준다.

3번: 많은 개발자가 오픈 소스 프로젝트를 통해 본인의 기술력을 입증하고, 이를 통해 더 나은 직업 기회를 얻는다는 점은 사실이다. 오픈 소스 프로젝트에 기여하는 것은 실력과 경험을 보여주는 좋은 방법이며, 많은 기업에서 이를 중요하게 생각한다.

4번: 아파치 소프트웨어 재단은 다양한 오픈 소스 프로젝트를 운영하며, 웹 서버(예: 아파치 HTTP 서버)와 빅데이터 처리(예: 하둘) 등 여러 분야에서 중요한 역할을 하고 있다. 하지만 '사실상 표준'이라는 표현은 주관적이고 과장된 표현일 수 있다. 특히, 표준화 기구에서 공식적으로 정한 표준과는 다를 수 있다. 이 때문에 4번이 틀린 주장이다.

김잭슨: 야옹아, 요즘 인터넷 서핑하다가 Mozilla 재단 이름의 유래가 궁금해졌어. 이름이 그냥 멋져서 붙인 거야?

야옹이: 오, 잭슨이! 물어 볼 줄 알았지! Mozilla 재단 이름에는 좀 웃긴 유래가 있는데, 진짜 듣고 나면 "아, 이래서 이름을 이렇게 지었구나" 하고 웃을 거야.

김잭슨: 뭔데 뭔데? 빨리 말해봐!

야옹이: 하하, 실제로는 'Mosaic'과 'Godzilla'의 합성어야. Mosaic는 1993년에 처음 나온, 대중적으로 큰 인기를 끈 웹 브라우저였어. 마크 안드레센과 에릭 비나가 개발한 건데, 인터넷의 아버지 같은 브라우저지. 그거랑 일본의 괴물 Godzilla를 합친 거야. 웹을 정복하려는 야망이 담겨 있었던 거지.

김잭슨: 와, Mosaic와 Godzilla라니. 진짜 웹의 괴물 같은 이름이었네! 근데 이게 어떻게 재단 이름까지 이어진 거야?

야옹이: 아, 이건 넷스케이프 이야기로 이어지는데, 마크 안드레

센이 넷스케이프를 설립하면서 새로운 웹 브라우저, 넷스케이프 내비게이터를 개발했어. 코드명은 'Mozilla'였지. 이유는 Mosaic의 킬러로서 인터넷을 정복하려는 큰 꿈을 가지고 있었기 때문이야.

김잭슨: 음... 그럼 그게 다야? 넷스케이프는 어떻게 된 거야? 갑자기 퇴장한 것 같아.

야옹이: 넷스케이프는 Microsoft의 Internet Explorer와 치열한 브라우저 전쟁을 했는데, 그만 패배하고 말았지. 그런데 그게 끝이 아니야! 1998년에 넷스케이프는 소스를 공개하고, Mozilla 프로젝트를 시작했어. 이제 인터넷의 자유와 개방성을 지키기 위한 진짜 전쟁이 시작된 거지.

김잭슨: 그럼 Mozilla 재단은 어떻게 탄생한 거야? 이게 어떻게 재단으로 이어졌어?

야옹이: 2003년, Mozilla 프로젝트는 공식적으로 Mozilla 재단으로 전환되었어. 이 재단은 비영리 조직으로, 인터넷의 개방성과 사용자의 권리를 보호하는 데 큰 역할을 하고 있어. 넷스케이프의 정신을 이어받은 거지. 참고로, Mozilla 재단은 2005년에 Firefox 브라우저를 출시하면서 큰 성공을 거두었어.

김잭슨: 흠, 그럼 Firefox라는 이름은 어떻게 나온 거야?

야옹이: 원래 이 브라우저는 'Phoenix'라는 코드명으로 시작됐어. 불사조처럼 넷스케이프의 부활을 상징하는 이름이지. 그런데 다른 오픈 소스 프로젝트와 이름이 겹쳐서, 혼동을 피하기 위해 최종적으로 'Firefox'로 바뀌었어. 이건 중국의 붉은 여우를 의미하는데, 여우처럼 빠르고 민첩한 성능을 상징하는 이름이야.

김잭슨: 오, 그러니까 진짜로 이름이 의미가 있는 거였구나. 그럼 Mozilla 재단은 어떻게 자금을 마련해? 비영리라면서도 어떻게 운영되는 거야?

야옹이: 좋은 질문이야! Mozilla 재단은 주로 Google과의 파트너십을 통해 자금을 조달해. Google은 Firefox의 기본 검색 엔진으로 채택되었고, 이를 통해 상당한 수익을 얻고 있어. 그리고 다양한 기부와 후원으로 재단을 운영하고 있지. 참고로 Mozilla 재단은 인터넷 개방성과 자유를 위해 다양한 오픈 소스 프로젝트를 진행하고 있어.

김잭슨: 와, 이렇게 깊은 이야기가 숨어있다니. 재밌어! Mozilla 재단이 단순히 웹 브라우저 만드는 곳이 아니라 더 큰 목표를 가지고 있었구나.

야옹이: 맞아, Mozilla 재단은 인터넷의 개방성과 사용자 권리를 보호하는 데 큰 역할을 하고 있어. 그들의 철학과 목표는 기술 혁

신을 이끌어내는 중요한 원동력이 되었지. 이게 바로 Mozilla 재단이 이즘과 철학에서 중요한 의미를 가지는 이유야.

김잭슨: 오늘 이야기 정말 흥미로웠어, 야옹이! 덕분에 많은 걸 배웠어!

140

미국의 한 대학 도서관에서 조용히 책을 읽고 있던 알렉스는 뜻밖의 의문을 품게 되었다. 그날 알렉스는 리처드 스톨먼의 자서전인 "Free as in Freedom"을 읽고 있었다. 책의 한 구절이 유난히 그의 눈길을 끌었다.

"GNU 프로젝트는 자유 소프트웨어 재단(FSF)에 의해 시작되었으며, 그 철학은 소프트웨어를 자유롭게 사용할 수 있도록 하는 것이었다."

알렉스는 이 문장을 읽고 곰곰이 생각에 잠겼다. 과거 'GNU'라는 이름을 어디서 많이 들어본 것 같았기 때문이다. 그는 도서관을 나와 친구들과 저녁을 먹으면서 그 이야기를 꺼냈다.

알렉스: 얘들아 혹시 GNU가 뭐였더라?

1. 유나: 그거 동물 중 하나 아니야? 그뉴라고도 불리는 거.

2. 김잭슨: 음... 유닉스의 일종이었던 거 같아.

3. 칼리: 아니야, 자유 소프트웨어 재단이 시작한 프로젝트야.

4. 야옹이: 그거 웹 브라우저의 이름 아니야?

[정답]
3. 칼리: 아니야, 자유 소프트웨어 재단이 시작한 프로젝트야.

[해설]
GNU에 대해 이야기할 때, 정답은 칼리의 발언이다. GNU는 자유 소프트웨어 재단(FSF)이 시작한 프로젝트로, UNIX와 비슷한 운영 체제를 자유롭게 사용하고 수정할 수 있도록 개발하려는 목적을 가지고 있었다. 리처드 스톨먼이 1983년에 이 프로젝트를 시작했고, 이로 인해 자유 소프트웨어 운동이 활발하게 전개되었다.

1. 유나의 발언은 'GNU'를 동물인 '그누(gnu)'와 혼동한 것이다. 비록 철자는 같지만, IT 용어로서의 GNU와는 아무런 관련이 없다. 따라서 틀린 답이다.

2. 김잭슨의 발언은 일부분 맞을 수 있지만 정확하지 않다. GNU는 유닉스의 일종이 아니라 유닉스와 비슷한 기능을 제공하는 자유 소프트웨어 운영 체제를 개발하려는 프로젝트다. 따라서 틀린 답이다.

4. 야옹이의 발언은 웹 브라우저와 GNU를 혼동한 것이다. GNU는 웹 브라우저가 아니라 운영 체제를 개발하는 프로젝트다. 따라서 틀린 답이다.

GNU 프로젝트는 소프트웨어가 사용, 복사, 배포, 연구, 수정, 개선될 수 있는 자유를 보장하려는 목적을 가지고 있다. 이 프로젝트는 현대의 많은 자유 소프트웨어와 오픈 소스 소프트웨어의 기초가 되었으며, 리처드 스톨먼의 철학이 큰 영향을 미쳤다.

리처드 스톨먼은 GNU 프로젝트를 시작하면서 "자유 소프트웨어"라는 개념을 제시했다. 이 개념은 사용자가 소프트웨어를 자유롭게 사용할 수 있도록 하는 것이다. 이는 상업용 소프트웨어와는 대조적으로, 소스 코드를 공개하여 누구나 수정하고 개선할 수 있도록 하는 것을 의미한다.

따라서, GNU의 목적과 의미를 이해하는 것은 자유 소프트웨어 운동과 오픈 소스 소프트웨어의 역사와 발전을 이해하는 데 매우 중요하다. 리처드 스톨먼의 노력 덕분에, 우리는 현재 많은 소프트웨어를 자유롭게 사용할 수 있게 되었다.

141

사토시 나카모토(Satoshi Nakamoto)가 2008년 발표한 비트코인 논문은 혁신적인 금융 기술을 소개하면서 전 세계의 주목을 받았다. 논문 제목은 "Bitcoin: A Peer-to-Peer Electronic Cash System"으로, 중앙 권한 없이 사용자 간 직접 거래를 가능하게 하는 전자화폐 시스템을 제안했다. 사토시 나카모토는 자신의 논문에서 금융 시스템의 신뢰성 문제를 해결하기 위해 블록체인 기술을 이용한 거래 검증 방식을 제시했다.

사토시 나카모토의 논문이 발표된 직후, 암호학계의 한 교수는 그 내용을 읽고 충격을 받았다. 그는 밤새도록 논문을 읽으며 사토시가 제안한 '작업 증명(Proof of Work)' 시스템의 혁신성에 매료되었다. 그가 느꼈던 전율은 마치 새로운 시대가 열리는 것을 목도하는 듯한 감동이었다. 그는 "사토시 나카모토라는 이름은 이 분야의 혁신적 사고를 대변하는 상징이 될 것"이라고 예측했다.

그러나 사토시 나카모토의 신분은 여전히 미스터리로 남아 있다. 한때 일본인 컴퓨터 과학자라는 추측이 있었지만, 사토시의 모든 메시지와 논문은 너무도 유창한 영어였다. 마치 그가 전 세계 어디에든 존재할 수 있는 투명한 존재처럼 느껴졌다. 논문이 발표된

2008년 10월, 한 유명한 블로그에서는 사토시가 MIT 교수라는 소문을 제기했으나, 이 역시 명확한 증거가 없었다. 그의 실체는 마치 어둠 속에 숨겨진 보물처럼 미스터리로 남아 있다. 사토시는 2011년부터 활동을 멈췄고, 비트코인의 운영은 다른 개발자들에게 맡겨졌다.

다음 보기 중, 사토시 나카모토의 비트코인 논문에 관한 정보로 올바른 것은 무엇일까?

1. 김잭슨: 사토시는 비트코인 논문에서 '작업 증명' 시스템을 통해 블록의 크기를 1MB로 제한한다고 제안했어.

2. 야옹이: 비트코인 논문은 중앙은행의 금융 정책 실패를 언급하며, 이를 해결하기 위한 방법으로 블록체인 기술을 처음으로 제안했어.

3. 칼리: 사토시의 논문을 읽어보면 비트코인이 거래 내역을 어떻게 검증하는지 알 수 있어. 트랜잭션을 묶어서 블록을 만들고, 이 블록을 체인처럼 연결한다고 하더라고.

4. 라리사: 비트코인 논문은 '다중 서명'을 통해 거래 보안을 강화하는 방법을 제안하며, 이를 통해 중앙 권한 없이도 안전한 금융 거래가 가능하다고 설명했어.

3. 칼리: 사토시의 논문을 읽어보면 비트코인이 거래 내역을 어떻게 검증하는지 알 수 있어. 트랜잭션을 묶어서 블록을 만들고, 이 블록을 체인처럼 연결한다고 하더라고.

[해설]

김잭슨의 주장이 정답이 아닌 이유: 비트코인 논문에서는 '작업 증명'을 통해 블록을 생성하는 과정을 설명하고 있지만, 블록의 크기를 1MB로 제한한다는 내용은 포함되지 않는다. 블록 크기 제한은 나중에 비트코인 네트워크에서 정해진 규칙이다.

야옹이 주장이 정답이 아닌 이유: 사토시의 논문에서는 중앙은행의 금융 정책 실패를 언급하지 않는다. 논문은 주로 기존 금융 시스템의 신뢰 문제와 이를 해결하기 위한 분산형 시스템을 설명하는 데 중점을 둔다.

칼리 주장이 정답인 이유: 사토시의 비트코인 논문은 비트코인이 어떻게 작동하는지를 상세히 설명하고 있다. 분산형 시스템을 통해 트랜잭션을 검증하고, 이 검증된 트랜잭션을 묶어 블록을 형성하며, 이러한 블록들이 체인 형태로 연결된다고 서술되어 있다. 이는 블록체인 기술의 핵심 원리이다.

라리사 주장이 정답이 아닌 이유: 비트코인 논문에서는 '다중 서명'이라는 개념이 논의되지 않았다. '다중 서명'은 이후 비트코인 및 다른 암호화폐에서 거래 보안을 강화하려는 방법으로 등장했지만, 사토시의 논문에서는 언급되지 않는다.

사토시 나카모토의 비트코인 논문은 블록체인 기술의 근본적인 개념과 구조를 명확하게 설명하고 있다. 비트코인은 중앙 권한 없이도 거래를 검증하고 기록할 수 있는 시스템을 구축하기 위해 트랜잭션을 블록에 묶고 이를 체인 형태로 연결하는 방법을 제안했다. 논문은 금융 시스템의 신뢰 문제를 해결하기 위한 독특한 기술을 소개하며, 전 세계적으로 큰 반향을 일으켰다.

142

김잭슨: 야옹이, 피싱 메일 식별 방법에 대해 얘기해보자.

야옹이: 그래, 잭슨이. 첫째, 피싱 메일은 보통 이상한 이메일 주소에서 와. 예를 들어, "support@apple.com" 대신 "support@apple123.com" 같은 가짜 주소를 쓴다고. 둘째, 피싱 메일은 자주 긴급하거나 무서운 메시지를 담고 있어. "당신의 계정이 해킹되었습니다!" 같은 식이지. 마지막으로, 피싱 메일은 링크를 클릭하거나 첨부 파일을 열도록 유도해. 이 링크나 파일은 악성 소프트웨어를 포함할 수 있어.

김잭슨: 맞는 말이야. 그런데 내가 하나 더 추가하자면, 피싱 메일은 자주 맞춤법과 문법 오류가 많아. 진짜 기업의 공식 이메일이라면 이런 실수를 하지 않지. 그리고 HTML 이메일이 아니라면, 메일의 레이아웃이 엉망인 경우가 많아. 비주얼이 조잡하거나 일관성이 없는 경우, 피싱 메일일 가능성이 고려해야 해.

야옹이: 그런데 잭슨이, 최근엔 피싱 메일도 매우 정교해졌어. 맞춤법도 완벽하고, 진짜 같은 로고와 레이아웃을 사용해. 그럼에도 불구하고, 링크를 주의 깊게 살펴보면 도메인이 미묘하게 다르다

거나, "https"가 아닌 경우도 있어. 예를 들어, "http://secure.pa ypal.com" 대신 "http://secure-paypal.com" 같은 식이지.

김잭슨: 맞아, 그리고 피싱 메일은 실제 존재하지 않는 이벤트나 경고를 담고 있어. 예를 들어, "당신의 은행 계좌가 접근 시도를 받았습니다" 같은 메일은 보통 은행에서 보내지 않아. 중요한 보안 경고는 앱이나 전화로 전달하는 경우가 많아. 그리고 피싱 메일은 자주 특정 개인 정보를 요청하는데, 진짜 회사는 절대로 이메일로 비밀번호 등의 중요한 개인 정보를 묻지 않아.

야옹이: 한 가지 더, 피싱 메일은 항상 링크에 "https"가 아닌 "http"로 시작하게 되어 있어. 보안이 약한 사이트로 유도하기 위해서지. 예를 들어, "https://secure.paypal.com" 대신 "http://secure-paypal.com" 같은 링크를 사용해.

위 대화 내용 중 틀린 것은?

1. 피싱 메일은 맞춤법과 문법 오류가 있다.
2. 피싱 메일은 긴급하거나 무서운 메시지를 담고 있다.
3. 피싱 메일은 "https"가 아닌 "http"로 된 링크를 사용한다.
4. 피싱 메일은 링크를 클릭하거나 첨부 파일을 열도록 유도한다.

[정답]

3. 피싱 메일은 "https"가 아닌 "http"로 된 링크를 사용한다.

[해설]

1번: 피싱 메일은 자주 맞춤법과 문법 오류가 많다는 것은 사실이다. 이는 공식적인 이메일보다 덜 신경을 쓴 흔적을 보일 때가 많기 때문이다. 하지만 점점 이런 오류가 적어지고 있다.

2번: 피싱 메일은 긴급하거나 무서운 메시지를 담고 있다는 것도 사실이다. 이는 수신자가 두려움을 느끼고 즉각적인 행동을 하도록 유도하기 위한 전형적인 피싱 전략이다.

3번: 피싱 메일이 "https"가 아닌 "http"로 된 링크를 사용한다는 것은 틀린 주장이다. 오히려 피싱 메일은 "https" 링크를 사용하여 더욱 신뢰성을 높이려 한다. 중요한 것은 링크가 신뢰할 수 있는 사이트로 연결되는지이며 주의 깊게 확인해야 한다.

4번: 피싱 메일이 링크를 클릭하거나 첨부 파일을 열도록 유도한다는 것도 사실이다. 이는 수신자가 악성 웹사이트로 이동하거나 악성 소프트웨어를 다운로드하게 하기 위한 방법이다.

피싱 메일 식별 방법은 매우 중요하다. 이를 위해서는 이메일 주소의 이상 여부, 긴급한 메시지, 맞춤법 및 문법 오류, 링크의 도메인 확인 등이 필요하다. 항상 의심스러운 이메일을 주의 깊게 분석하고, 직접 연락을 통해 진위를 확인하는 것이 좋다.

매일 더 똑똑해지는 IT 교양서

ZERO TO ONE

공식 카페 접속하기

김잭슨: 야옹아, 비트코인의 보안성을 좀 이야기해보자. 비트코인은 작업 증명(PoW)을 사용해서 네트워크를 보호해. 이 시스템은 공격자가 네트워크를 해킹하려면 막대한 해시 파워가 필요해. 실제로 2018년에 비트코인 해시레이트가 사상 최고치인 60 엑사해시(EH/s)를 기록했어. 이 정도면 해킹 시도가 현실적으로 거의 불가능해.

야옹이: 잭슨이, 네가 말한 해시 파워가 높은 건 사실이야. 하지만 이더리움은 2022년에 지분 증명(PoS)으로 전환하면서 새로운 보안 모델을 도입했어. PoS에서는 네트워크를 공격하려면 전체 지분의 51% 이상을 소유해야 해. 예를 들어, 이더리움의 초기 투자자들이 많은 지분을 보유하고 있어서 공격이 사실상 불가능하지. 이건 "Ethereum 2.0의 보안 모델" 논문에도 잘 나와 있어.

김잭슨: 그럼 PoW와 PoS의 보안을 비교해보자. 비트코인의 PoW는 해시 파워의 51%를 넘지 않으면 네트워크를 장악할 수 없어. 2020년에 발표된 "PoW의 탈중앙화와 보안" 연구에 따르면, PoW는 네트워크의 탈중앙화를 촉진시키고 보안을 강화한다는 것이 밝혀졌어. 네트워크가 안전하게 운영될 수 있다는 거지.

야옹이: 하지만 PoS는 더 효율적이고 안전해. PoW는 에너지 소모가 너무 커서 2021년에 비트코인의 전력 소비량이 아르헨티나와 비슷한 수준이라는 보고가 있었어. 반면에 이더리움의 PoS는 에너지 소모가 거의 없어. "PoS의 경제적 보안 모델" 논문에 따르면 PoS는 네트워크 공격을 어렵게 만드는 경제적 메커니즘을 포함하고 있어서 보안 측면에서도 더 우수하다고 해.

김잭슨: 하지만 PoS도 완벽하진 않아. 예를 들어, PoS 네트워크에서는 중앙화 문제가 발생할 수 있어. 이더리움이 PoS로 전환하면서 상위 10개의 주소가 전체 이더리움 공급량의 25%를 소유하게 되었는데, 이는 중앙화의 위험을 높인다고 할 수 있어. 2023년 보고서에서도 이 문제를 지적하고 있지.

야옹이: 잭슨이, 그건 모든 네트워크가 겪는 문제야. 비트코인도 큰 채굴 풀이 네트워크의 상당 부분을 차지하고 있어. 2019년에 비트코인의 상위 4개 채굴 풀이 전체 해시 파워의 60% 이상을 차지했다는 데이터도 있어. 따라서 PoW 역시 중앙화 문제를 완전히 해결하지 못했지. 오히려 PoW는 시간이 지날수록 해시 파워가 특정 그룹에 더 집중될 가능성이 높아.

[질문]
다음 중 잘못된 주장은 무엇인가?

1. 이더리움의 PoS는 네트워크를 공격하려면 전체 지분의 51% 이상을 소유해야 한다.

2. 비트코인의 PoW는 해시 파워의 51%를 넘지 않으면 네트워크 공격이 어렵다.

3. PoS는 에너지 소비가 거의 없으며, 경제적면이 면에서 공격에 더 안전하다.

4. PoW는 시간이 지날수록 해시 파워가 특정 그룹에 집중될 가능성이 높다.

[정답]
4. PoW는 시간이 지날수록 해시 파워가 특정 그룹에 집중될 가
   능성이 높다.

[해설]
보기 1번 주장은 사실이다. 이더리움의 PoS는 네트워크의 지분을
소유한 만큼 네트워크에 대한 영향력을 행사할 수 있다. 따라서
네트워크를 공격하려면 전체 지분의 51% 이상을 소유해야 하는
데, 이는 현실적으로 거의 불가능하다.

보기 2번 주장은 사실이다. 비트코인의 PoW는 해시 파워의 51%
이상을 확보하지 않으면 네트워크를 장악하거나 공격하기 어렵다.
이는 비트코인의 PoW 시스템이 제공하는 보안성 중 하나이다.

보기 3번 주장은 사실이다. PoS는 PoW와 달리 복잡한 연산을
요구하지 않기 때문에 에너지 소비가 매우 적다. 또한, PoS는 경
제적 장벽을 통해 공격을 어렵게 하는 메커니즘을 내장하고 있어,
경제적 공격에 더 안전한 것으로 평가된다.

보기 4번 주장은 틀렸다. PoW는 본래 탈중앙화된 구조를 촉진하
는 시스템이다. 해시 파워가 특정 그룹에 집중되는 것은 네트워크
의 본질적인 문제가 아니라, 채굴 산업의 발전 과정에서 나타나
는 현상이다. 비트코인 네트워크는 시간이 지남에 따라 다양한

채굴자들이 참여할 수 있도록 구조가 설계되어 있다. PoW는 네트워크를 탈중앙화시키고, 다양한 참여자를 유도하여 보안을 강화한다.

『 **144** 』

API(Application Programming Interface)는 소프트웨어 응용 프로그램들이 서로 소통할 수 있도록 도와주는 도구다. 이는 개발자들에게 다른 소프트웨어의 기능을 활용할 수 있는 방법을 제공하여 개발 시간을 줄이고 기능을 확장할 수 있게 한다. 2022년 3월, 마이크로소프트는 자사의 GitHub에 API를 활용한 혁신적인 프로젝트를 공개했다. 이 프로젝트는 여러 코드 레포지토리를 자동으로 분석하고, 버그를 탐지하며, 해결책을 제안하는 기능을 포함하고 있었다. 이 프로젝트는 API의 힘을 극대화한 사례로, 단순히 함수를 호출하는 것 이상의 복잡한 상호작용을 가능하게 했다.

함수와 API의 차이를 이해하기 위해서는, 함수가 특정 작업을 수행하는 코드 조각인 반면, API는 소프트웨어 모듈들이 서로 통신하고 데이터를 주고받는 체계라는 점을 명심해야 한다. 함수는 내부 로직에 집중하지만, API는 다른 소프트웨어와의 상호작용에 초점을 맞춘다.

다음의 API와 함수에 대한 의견 중 옳은 것은?

1. 김잭슨: API는 함수를 포함한 모든 코드 구조를 지칭한다는 것이야.

2. 유나: API는 두 소프트웨어 간의 대화를 위한 인터페이스를 제공하는 것이 맞을걸?.

3. 칼리: 함수는 API와 다르게 값을 반환하는 역할만 하지.

4. 사샤: API와 함수는 동일한 개념이야. 둘 다 데이터 처리를 목적으로 하니까.

[정답]

2. 유나: API는 두 소프트웨어 간의 대화를 위한 인터페이스를 제공하는 것이 맞을걸?.

[해설]

유나의 의견이 정답인 이유는 API가 두 소프트웨어 간의 대화를 위한 인터페이스를 제공한다는 정의가 가장 정확하기 때문이다. API는 다양한 소프트웨어 모듈들이 서로 통신할 수 있도록 설계된 규칙과 도구를 의미한다. 이러한 정의는 API의 핵심을 설명하며, 문제의 지문에서도 언급된 것처럼 소프트웨어 간의 복잡한 상호작용을 가능하게 한다.

김잭슨의 의견이 틀린 이유는 API가 단순히 함수를 포함한 모든 코드 구조를 지칭하지 않기 때문이다. API는 특정 기능을 수행하는 함수 모음이 포함될 수 있지만, 함수와 API는 동일한 개념이 아니다. API는 소프트웨어 간의 상호작용을 중점적으로 다루는 반면, 함수는 특정 작업을 수행하는 독립적인 코드 조각이다.

칼리의 의견이 틀린 이유는 함수가 단순히 값을 반환하는 역할만 한다고 정의한 부분이다. 함수는 다양한 작업을 수행할 수 있으며, 반환 값이 없는 함수도 있다. 함수는 특정 기능을 수행하는 코드 조각일 뿐이고, API와 같은 복잡한 상호작용을 중개하지 않는다.

사샤의 의견이 틀린 이유는 API와 함수가 동일한 개념으로 설명되었기 때문이다. API는 다른 소프트웨어 모듈과의 통신을 위해 설계되지만, 함수는 특정 작업을 수행하는 코드 블록이다. 두 개념은 사용되는 목적과 구조에서 차이가 있으며, 지문에서도 이 차이를 명확히 설명하고 있다.

결론적으로, API는 두 소프트웨어 간의 대화를 목적으로 하는 인터페이스를 제공하는 것으로, 이 점에서 유나의 의견이 정확하다.

누가 봐도 수상한 단축 URL 서비스.

이전에 소개했던 Shady URL은 애교일 정도.

보통은 수상하게 보이지 않기 위해 노력하는데

최대한 수상하게 보이도록 노력하는 중인 것 같다.

김잭슨: 야옹이, 너 데이터베이스 효율화에 대해 좀 알지? 내가 요즘 좀 관심이 생겼는데, 좀 알려줄 수 있어?

야옹이: 물론이지, 김잭슨. 데이터베이스 효율화라면, 데이터를 더 빠르고 효율적으로 관리하는 기술을 말하는 거야. 어떤 부분이 궁금해?

김잭슨: 음, 일단 효율화 방법 중에 인덱싱이 있다고 들었는데, 그게 뭐야?

야옹이: 인덱싱은 데이터를 빠르게 찾기 위해 사용되는 기법이야. 데이터베이스에서 인덱스를 만들어 두면, 필요한 데이터를 더 빠르게 검색할 수 있어. 예를 들어, SQL에서 CREATE INDEX 문을 사용해서 특정 컬럼에 인덱스를 설정할 수 있어. 이렇게 하면 검색 시간이 대폭 줄어들지.

김잭슨: 그럼 인덱스는 어떻게 관리해야 해? 아무 컬럼에나 설정하면 되는 거야?

야옹이: 좋은 질문이야. 인덱스는 자주 검색되는 컬럼이나, 정렬, 조인 등에 사용되는 컬럼에 설정하는 게 좋아. 하지만 너무 많은 인덱스를 만들면 오히려 성능이 저하될 수 있어, 인덱스 생성과 유지에도 자원이 필요하거든. 데이터베이스마다 인덱스 관리 방식이 다르지만, 대표적으로 MySQL에서는 B-tree 구조를 사용해 인덱스를 관리해.

김잭슨: 아, 그렇구나. 그럼 또 다른 효율화 방법은 뭐가 있어?

야옹이: 쿼리 최적화도 중요한 방법이야. SQL 쿼리를 효율적으로 작성하면 데이터 접근 속도를 높일 수 있지. 예를 들어, SELECT * 대신 필요한 컬럼만 지정하는 게 좋고, 조인을 사용할 때도 불필요한 데이터를 가져오지 않도록 하는 게 중요해. 쿼리 실행 계획을 살펴보고 최적화할 수 있어.

김잭슨: 실행 계획? 그게 뭐야?

야옹이: 실행 계획은 데이터베이스가 쿼리를 어떻게 처리할지 보여주는 거야. MySQL에서는 EXPLAIN 명령어를 사용해서 확인할 수 있어. 실행 계획을 보면 어떤 인덱스를 사용하는지, 쿼리가 어떻게 실행되는지 알 수 있어. 이걸 바탕으로 쿼리를 더 효율적으로 수정할 수 있지.

김잭슨: 그럼 데이터 정규화는 또 뭐야?

야옹이: 데이터 정규화는 데이터를 중복 없이 효율적으로 저장하는 방법이야. 데이터를 여러 테이블로 나눠서 관리하는 거지. 예를 들어, 학생 정보와 강의 정보를 각각의 테이블에 나눠서 저장하고, 학생이 어떤 강의를 듣는지를 다른 테이블에서 관리하는 식으로. 이러면 데이터 변경 시 문제없이 처리할 수 있어.

김잭슨: 그렇구나. 근데 비정규화는 또 뭐야?

야옹이: 비정규화는 데이터 접근 속도를 높이기 위해 일부러 데이터를 중복해서 저장하는 방법이야. 예를 들어, 읽기 속도가 중요한 경우에는 필요한 정보를 한 테이블에 모아서 저장해. 이렇게 하면 읽기 속도는 빨라지지만, 데이터 수정 시에 관리가 어려워질 수 있어.

김잭슨: 아, 이해가 됐어. 그럼 데이터베이스가 커지면 어떻게 관리해야 해? 샤딩이라는 말을 들어본 것 같은데.

야옹이: 맞아. 샤딩은 데이터를 여러 서버에 나눠서 저장하는 기법이야. 예를 들어, 사용자 데이터를 이름에 따라 A~M은 서버 1에 저장하고 N~Z는 서버 2에 저장하는 식으로. 이렇게 하면 한 서버에 데이터가 몰리지 않아서 처리 속도가 빨라지지. 대규모 데

이터베이스에서는 필수적인 기법이야.

김잭슨: 와, 그럼 데이터 일관성은 어떻게 유지해?

야옹이: 이건 CAP 이론을 이해해야 해. 일관성(Consistency), 가용성(Availability), 파티션 허용성(Partition Tolerance) 중 두 가지 특성만 만족시킬 수 있거든. 샤딩하면 파티션 허용성은 필수적이고, 나머지 둘 중 하나를 선택하게 돼. 일관성을 유지할 건지, 가용성을 높일 건지 결정해야 해.

김잭슨: 그럼 실시간 처리 속도는 어떻게 높여?

야옹이: 자주 사용하는 데이터를 메모리에 저장하는 캐시(Cache)를 사용하면 돼. Redis나 Memcached 같은 도구를 사용해서 데이터를 캐싱하면, 데이터베이스를 거치지 않고도 빠르게 데이터를 가져올 수 있어. 구글이나 아마존 같은 곳에서도 이런 방법을 많이 사용해.

김잭슨: 오, 캐시! 그럼 언제 사용해야 가장 효과적인 거야?

야옹이: 자주 접근하는 데이터는 캐시에 저장하는 게 좋아. 예를 들어, 인기 게시글이나 로그인 정보 같은 자주 접근하는 데이터를 캐시에 저장하면, 데이터베이스에 부담을 줄이고 접근 속도를 높

잊 수 있어. 다만, 데이터가 자주 변할 때는 캐시의 데이터와 싱제 데이터가 일치하지 않을 수 있어서 신중하게 사용해야 해.

김잭슨: 와, 정말 많이 배웠다! 데이터베이스 효율화가 이제 좀 머리에 들어오는 것 같아. 고마워, 야옹이!

147

한때 널리 알려진 보안 취약점 CVE-2014-0160, 이른바 '하트블리드'는 전 세계를 충격에 빠뜨렸다. 오픈SSL의 심각한 결함으로 인해 무려 50만 개 이상의 웹사이트가 영향을 받았다. 2014년 4월, 이 치명적인 버그가 처음 발견되었고 전 세계의 보안 팀은 이에 대응하기 위해 긴급히 움직였다. 당시, 여러 대형 소형 가릴 것 없이 많은 기업이 신속히 대응해 해당 취약점을 패치했다. 이후 몇 달간 하트블리드에 대한 논의가 끊이지 않았고, IT 업계는 큰 경각심을 갖게 되었다.

그런데, 사건이 잠잠해진 지 몇 년 후, 또 다시 비슷한 취약점이 발생했다. 다수의 연구팀이 조사한 결과, 이는 하트블리드와 같은 종류의 버그로 밝혀졌다. 동일한 문제로 보안이 뚫린 회사 중 하나는 한때 가장 철저하게 대응했던 대형 클라우드 서비스 제공업체였다. 당시, 이 회사는 하트블리드가 발생한 후에도 보안 취약점을 지속적으로 모니터링하고 패치하는 데 많은 자원을 투자했다. 하지만 왜 또다시 같은 문제가 발생했을까?

한 보안 전문가가 밝히길, 이는 단순히 기술적 실수로 인한 것이 아니었다. 그는 이렇게 말했다: "당시 우리는 코드의 일부를 잘못 이해한 탓에 패치가 제대로 이루어지지 않았어요. 게다가, 시간이 지나면서 직원들이 변경되었고, 새로운 직원들은 이 문제의 심각성을 충분히 인지하지 못했죠. 결국, 같은 실수가 반복된 겁니다."

이런 상황에서, 왜 과거에 조치되었던 취약점이 다시 발생했는지에 대해 깊이 있는 논의가 이어졌다. 사람들은 여러 가지 이유를 제시했다. 어떤 이는 충분히 철저하지 않은 보안 점검 과정을 지적했고, 다른 이는 조직 내 지식 전달의 부재를 비판했다.

이와 관련하여 같은 취약점이 추후 다시 발생한 주요 이유는 무엇일까?

1. 김잭슨: 하트블리드 같은 큰 사건이 있었는데, 또 똑같은 문제가 발생하다니 정말 충격적이다. 도대체 어떻게 이런 일이 또 일어날 수 있지?
2. 야옹이: 내 생각에는 보안팀이 제대로 일을 못 한 것 같아. 관리 소홀이나 무능력 때문 아닐까?
3. 칼리: 그건 단순한 문제만은 아닐 거야. 내부의 커뮤니케이션 문제나 신규 직원 등 조직과 인적 요소가 이유일 수 있어.
4. 유나: 오픈소스 소프트웨어의 근본적인 문제가 아닐까? 모두가 책임을 느끼지 않다 보니 이런 일이 반복되는 것 같아.

[정답]

3. 칼리: 그건 단순한 문제만은 아닐 거야. 내부의 커뮤니케이션 문제나 신규 직원 등 조직과 인적 요소가 이유일 수 있어.

[해설]

하트블리드와 같은 보안 취약점이 재발하는 근본적인 이유는 단순한 기술적 결함뿐만 아니라, 조직 내부의 커뮤니케이션 문제와 신규 직원들의 훈련 부족 등 다양한 요소가 복합적으로 작용했기 때문이다.

김잭슨은 하트블리드 사건의 심각성을 강조하지만, 재발의 이유에 대해 구체적으로 언급하지 않아 틀렸다.

야옹이의 주장은 보안팀의 무능력이나 관리 소홀로 단정 짓지만, 이는 문제의 일부일 수 있으나 근본적인 원인은 아니다. 인수인계 과정에서의 누락, 시간이 지나면서 축적되는 기술 부채, 그리고 새로운 직원들의 경험과 이해 부족 등 다양한 요인이 복합적으로 작용하기 때문이다. 이런 이유로 과거에 조치되었던 취약점이 다시 발생하는 것이다.

칼리의 분석은 조직 내부의 커뮤니케이션 문제와 신규 직원들의 훈련 부족 등, 취약점 재발의 주요한 이유를 가장 잘 짚어냈다. 이는 조직적, 인간적 요소가 얽힌 복합적인 문제로, 재발 방지를 위해 더 많은 노력이 필요함을 시사한다.

유나의 견해는 오픈소스 소프트웨어의 구조적 문제를 지적하지만, 이는 취약점 재발의 원인을 완전히 설명하지는 못한다. 오픈소스 소프트웨어 자체의 문제도 있겠지만, 이를 사용하는 조직 내부의 관리와 교육 문제도 중요하다.

148

김잭슨: 야옹아, 너 RESTful에 대해 좀 알고 있다고 하던데 제대로 알고 있는 거 맞아? RESTful은 Representational State Transfer의 약자야. 2000년에 Roy Fielding이 그의 박사 학위 논문에서 처음 소개했어. HTTP를 사용해 데이터를 주고받는 웹 서비스 디자인 스타일인데, 중요한 특징은 클라이언트-서버 구조와 무상태성이지. 클라이언트는 서버에게 요청을 보내고, 서버는 해당 요청에 대해 응답만 해. 이때 서버는 클라이언트의 상태를 기억하지 않아.

야옹이: 어이 잭슨이, 나한테 그런 기본적인 얘기를 하는 건 좀 시시하다고 생각해. RESTful의 진짜 중요한 특징은 자원 기반의 구조야. URL이 자원을 나타내고, HTTP 메소드가 그 자원에 대한 작업을 정의하지. 예를 들어, GET은 자원 조회, POST는 자원 생성, PUT은 자원 갱신, DELETE는 자원 삭제 같은 것들 말이야.

김잭슨: 그건 기본이지. 근데 너가 알아야 할 건 RESTful이 HTTP 프로토콜에 종속적이지 않다는 거야. 꼭 HTTP를 사용할 필요는 없어. 다른 프로토콜을 사용해도 RESTful 서비스는 충분히 가능하지. 중요한 건 자원을 어떻게 표현하고 전송하느냐야. 예를 들어,

MQTT 같은 프로토콜로도 RESTful 서비스는 만들 수 있어.

야옹이: 아니 잭슨이, 네가 모르는구나. RESTful이 HTTP에 종속적이지 않다면 왜 모든 RESTful 서비스가 HTTP를 사용해? RESTful의 핵심은 HTTP 메소드와 상태 코드, URI 구조에 기반한 자원 관리인데, 다른 프로토콜로는 그렇게 하기 어려워. 특히 상태 코드를 다른 프로토콜로 구현하는 건 불가능에 가까워.

[질문]
위의 대화 내용 중 틀린 주장은 무엇인가?

1. RESTful은 HTTP뿐만 아니라 다른 프로토콜을 사용해도 가능하다.

2. RESTful의 자원 관리는 URI 구조와 HTTP 메소드를 사용해 정의될 수 있다.

3. RESTful은 클라이언트-서버 구조에서 서버가 클라이언트의 상태를 기억하지 않는다.

4. 모든 RESTful 서비스는 HTTP 프로토콜을 사용해야 한다.

4. 모든 RESTful 서비스는 HTTP 프로토콜을 사용해야 한다.

RESTful의 전반적인 개념과 특징을 이해하려면 몇 가지 핵심 원칙을 짚고 넘어가야 한다.

보기 1번 주장은 사실이다. RESTful 아키텍처 스타일은 특정 프로토콜에 종속적이지 않다. 비록 HTTP가 가장 일반적으로 사용되는 프로토콜이지만, RESTful 아키텍처는 HTTP 외에도 다양한 프로토콜에서 구현될 수 있다. 예를 들어, CoAP(Constrained Application Protocol)나 MQTT 같은 프로토콜을 통해서도 RESTful 서비스는 가능하다. 중요한 것은 자원을 클라이언트와 서버 사이에서 어떻게 전달하고 표현하는지에 대한 방식이지, 특정 프로토콜에 대한 의존성은 아니다.

보기 2번 주장은 맞다. RESTful의 주요 개념 중 하나는 자원을 명확하게 나타내는 URI 구조를 사용하는 것이다. 각 자원은 고유한 URI로 식별되고, HTTP의 경우 메소드인 GET, POST, PUT, DELETE 등을 통해 자원에 대한 작업을 수행한다. 이러한 메소드는 각각 자원의 조회, 생성, 갱신, 삭제와 같은 동작을 정의하여 RESTful 아키텍처를 구성하는 기본적인 요소가 된다.

보기 3의 주장은 RESTful의 무상태성 원칙을 설명한다. RESTful 아키텍처에서는 서버가 클라이언트의 상태를 저장하거나 기억하지 않는다. 요청마다 클라이언트의 상태가 새로 전달되어야 하며, 이는 서버가 클라이언트의 이전 상태에 의존하지 않고 독립적으로 각 요청을 처리하게 만든다. 따라서 요청 간에 서버는 클라이언트에 대한 상태 정보를 유지하지 않으므로 무상태성을 구현한다.

보기 4번 주장은 틀렸다. RESTful 아키텍처가 HTTP에 기반하여 발전했기 때문에 많은 사람들이 HTTP와 RESTful을 동일시하지만, 사실 RESTful은 특정 프로토콜에 종속되지 않는다. 중요한 것은 자원의 표현과 전달 방식을 정의하는 구조적 원칙이지, 특정 프로토콜 사용에 국한되는 것은 아니다. HTTP가 일반적으로 RESTful 구현에 사용되는 것은 사실이지만, 꼭 HTTP만 사용해야 하는 것은 아니다. CoAP나 MQTT 등의 다른 프로토콜도 RESTful 원칙에 따라 자원 관리가 가능하다.

149

김잭슨: 야옹아, 데이터베이스 보안에 대해서 궁금한 거 있지 않아? 내가 오늘 시간 있거든. 뭐든 물어봐!

야옹이: 오! 마침 궁금했던 게 있어. 데이터베이스 보안은 왜 그렇게 중요한 거야? 요즘 뉴스 보면 해킹 사건이 많더라고.

김잭슨: 맞아. 데이터베이스(DB)는 기업이나 조직의 중요한 정보를 담고 있는 보물창고 같은 곳이야. 그래서 보안이 아주 중요해. 간단하게 설명하자면, DB 보안은 데이터의 기밀성, 무결성, 가용성을 보호하는 거야. 해킹당하면 민감한 정보가 유출되거나 변조될 수 있으니, 보안은 필수야.

야옹이: 그럼 구체적으로 어떤 것들을 지켜야 하는 거야?

김잭슨: 먼저 DB 보안에서 중요한 것들을 하나씩 짚어볼게.

- 접근 제어: 누가 DB에 접근할 수 있는지를 통제하는 거야. 관리자가 아닌 사용자가 중요한 정보에 접근하지 못하게 해야 해. 예를 들어, SQL 인젝션 공격 같은 게 대표적이야. 악의적인 사용

자가 SQL 쿼리를 조작해서 데이터베이스에 접근하려는 시도거든. 이를 방지하기 위해 데이터베이스 관리자는 강력한 사용자 인증과 권한 관리가 필요해. 특히 다중 요인 인증(MFA)도 중요한데, 이는 비밀번호뿐만 아니라 추가적인 인증 수단을 통해 보안을 강화하는 방법이야.

- 데이터 암호화: 데이터가 이동하거나 저장될 때 암호화해야 해. 예를 들어, TLS(전송 계층 보안) 같은 기술로 데이터를 암호화해서 네트워크를 통해 전송할 때 데이터를 안전하게 보호할 수 있어. 데이터베이스 내에서는 암호화 저장 기술을 사용하여 민감한 정보를 안전하게 보호할 수 있어. 예를 들어, 금융 데이터는 AES-256 암호화를 통해 보호되는 경우가 많아.

- 감사 및 모니터링: 누가 언제 어떤 데이터에 접근했는지 기록하는 게 중요해. 예를 들어, Oracle Audit Vault 같은 솔루션을 이용해서 DB 접근 기록을 모니터링하고, 이상한 접근이 발생하면 즉시 탐지할 수 있어. 이는 보안 사고 발생 시 빠르게 대응할 수 있도록 도와줘. 예를 들어, 2014년 Target 해킹 사건에서 모니터링 부족으로 인해 해커가 대량의 카드 정보를 유출한 사례가 있어.

- 취약점 관리: DB 시스템 자체의 취약점을 주기적으로 점검하고 패치하는 것도 중요해. 예를 들어, 2018년에 발생한 MySQL 취

약점(CVE-2018-3282)은 공격자가 취약점을 통해 루트 권한을 획득할 수 있었지. 이러한 취약점을 빠르게 패치하지 않으면 해커가 시스템에 접근할 수 있는 길을 열어주게 돼.

야옹이: 오, 생각보다 복잡하네. 그럼 한 가지씩 더 물어볼게. 접근 제어에서 중요한 건 뭘까?

김잭슨: 접근 제어는 여러 단계가 있어. 첫째는 인증이야. 사용자가 누구인지 확인하는 과정이지. 보통 ID와 비밀번호를 사용하지만, 2단계 인증이나 생체 인증도 추가하면 더 안전해. 특히 기업 환경에서는 PKI(공개 키 기반 구조)와 같은 더 복잡한 인증 방법을 사용하는 것도 있어.

야옹이: 2단계 인증? 그건 뭐야?

김잭슨: 2단계 인증은 두 가지 정보를 사용해서 사용자 신원을 확인하는 거야. 예를 들어, 비밀번호를 입력한 후에 휴대폰으로 받은 인증 코드를 입력하는 방식이야. 이렇게 하면 비밀번호가 유출되더라도 다른 사람이 쉽게 접근할 수 없게 돼. 이 방식은 2011년 RSA SecurID 사건 이후 더욱 강화되어 많은 곳에서 사용하게 되었어. 그 당시 RSA의 보안 토큰 시스템이 해킹당해 많은 기업이 위협을 받았거든.

야옹이: 아, 이제 이해했어. 데이터 암호화는 왜 중요한 거야?

김잭슨: 데이터가 네트워크를 통해 전송될 때 중간에 가로챌 수 있어. 그래서 암호화를 통해 데이터를 보호해야 해. 예를 들어, H TTPS를 사용하면 브라우저와 서버 간에 오가는 데이터가 암호화 돼서 안전하게 전송돼. 또, 데이터베이스 자체에서도 AES-256 같은 강력한 암호화 알고리즘을 사용해서 데이터를 저장할 수 있어. 이를 통해 데이터가 해커의 손에 들어가더라도 쉽게 해독할 수 없게 만들지. 이런 암호화 기술은 특히 금융, 의료 데이터 보호에 필수적이야.

야옹이: 그렇구나. 그럼 감시와 모니터링은 어떻게 하는 거야?

김잭슨: DB 활동을 감시하고 기록하는 게 중요한데, 이걸 감사 로그라고 해. 예를 들어, 사용자가 DB에 어떤 쿼리를 실행했는 지, 언제 데이터를 수정했는지를 기록해둬. 이렇게 하면 나중에 문제가 생겼을 때 추적할 수 있어. IBM Guardium 같은 솔루션 이 대표적이야. 이 솔루션은 실시간으로 데이터베이스 활동을 모 니터링하고, 비정상적인 활동을 탐지해서 빠르게 대응할 수 있도 록 해줘. 예를 들어, 2013년에 발생한 Adobe 해킹 사건에서는 로그 모니터링이 제대로 이루어지지 않아 해커가 수백만 명의 사 용자 정보를 유출했지.

야옹이: 취약점 관리에 대해서도 좀 더 설명해줄 수 있어?

김잭슨: DB 시스템은 복잡한 소프트웨어로 구성돼 있어서 취약점이 생길 수 있어. 그래서 정기적으로 보안 업데이트를 해야 해. 예를 들어, 2014년에 발생한 Heartbleed 취약점은 OpenSSL의 심각한 결함으로 많은 서버가 위험에 노출됐었지. 이런 취약점을 빠르게 패치하지 않으면 해커가 시스템을 장악할 수 있어. 또한, 자동화된 취약점 스캐닝 툴을 사용해서 주기적으로 시스템을 점검하는 것도 중요해. 예를 들어, Nessus나 OpenVAS 같은 도구를 사용하면 DB와 시스템의 보안 취약점을 쉽게 탐지하고 수정할 수 있어.

야옹이: 와, 진짜 자세히 알려줘서 고마워, 잭슨이! 마지막으로, DB 보안을 위해 우리가 할 수 있는 간단한 방법은 뭐가 있을까?

김잭슨: 당연히 있지. 먼저, 정기적으로 데이터베이스의 백업을 해야 해. 데이터 유실이 발생해도 복구할 수 있어야 하니까. 그리고 권한 관리를 철저히 해서 꼭 필요한 사용자만 접근할 수 있게 해야 해. 또한, SQL 인젝션 공격을 방지하기 위해 입력 데이터를 항상 검증하고, Prepared Statements를 사용하는 것도 좋은 방법이야. 마지막으로, 최신 보안 패치를 빠르게 적용해서 취약점을 최소화하는 게 중요해.

『 150 』

존 밀러는 최근 회사 프로젝트에서 가상머신(VM)을 사용하여 개발 환경을 관리하던 중 예상치 못한 성능 문제와 자원 소모로 인해 프로젝트가 지연되고 있었다. 고민에 빠진 밀러는 동료로부터 도커(Docker)라는 컨테이너 기술을 추천받았다. 도커는 운영체제(OS) 수준에서 애플리케이션을 격리하고 관리하는 기술로, 가벼운 자원 사용과 빠른 구동을 제공한다고 했다.

밀러는 도커와 VM을 비교 분석한 끝에, 도커를 도입하기로 결정했다. 도커를 사용하자 예상보다 훨씬 빠르게 개발 환경을 구축할 수 있었고 자원 사용도 최소화되었다. 덕분에 프로젝트는 성공적으로 완료되었다. 도커는 VM보다 훨씬 효율적이라는 평가를 받았다. 그런데, 왜 도커가 VM보다 효율적일까? 다음 중 가장 적합한 이유는?

1. 김잭슨: 도커는 각 애플리케이션이 전용 운영체제가 필요하지 않기 때문에 더 가볍고 빠르게 실행된다고 들었어.

2. 줄리아: VM은 별도의 가상 하드웨어를 만들어서 사용하는데, 도커는 호스트 OS 위에서 바로 애플리케이션을 실행하니까 성능이 더 좋아.

3. 사샤: 도커는 모든 애플리케이션을 동일한 환경에서 실행할 수 있게 해줘서 배포가 훨씬 쉬워진대.

4. 유나: 도커는 네트워크와 스토리지를 가상화해서 자원 사용이 적고 더 많은 애플리케이션을 동시에 실행할 수 있다고 했어.

2. 줄리아: VM은 별도의 가상 하드웨어를 만들어서 사용하는데, 도커는 호스트 OS 위에서 바로 애플리케이션을 실행하니까 성능이 더 좋아.

도커와 VM은 애플리케이션을 격리하고 실행하는 방식이 크게 다르다. 도커는 호스트 운영체제(OS) 위에서 직접 애플리케이션을 실행하며, 이는 별도의 가상 하드웨어나 운영체제를 필요로 하지 않기 때문에 가볍고 빠르다. 반면 VM은 각각의 가상머신이 독립적인 운영체제와 가상 하드웨어를 가지고 있어 자원 소모가 크고 성능이 떨어질 수 있다.

김잭슨의 설명은 도커의 경량성을 부분적으로 설명하지만, 도커가 VM보다 효율적인 전체적인 이유를 충분히 제시하지는 못했다. 도커는 가상 하드웨어와 운영체제의 필요성을 제거하여 자원 사용을 줄인다.

줄리아의 설명이 정답이다. 도커는 호스트 OS 위에서 애플리케이션을 직접 실행하며, 가상 하드웨어를 필요로 하지 않는다. 이는 도커가 자원 소모를 줄이고 성능을 높이는 주된 이유다. 도커의 컨테이너는 필요한 기능만을 포함하여 애플리케이션을 격리하기 때문에 VM보다 효율적인 자원 관리를 가능하게 한다.

사샤는 도커의 배포 용이성을 설명하지만, 도커 효율성에 대한 주요 이유는 아니다. 도커의 효율성은 애플리케이션의 격리와 자원 관리 방식에서 설명되어야 한다. 배포의 용이성은 도커의 주요 장점 중 하나지만, 밀러가 도커를 선택한 주된 이유와는 다르다.

유나는 도커가 네트워크와 스토리지를 가상화하여 자원 사용을 줄인다고 설명하지만, 이 또한 핵심적인 이유가 아니다. 도커의 효율성은 애플리케이션을 호스트 OS 위에서 직접 실행하여 자원 소모를 줄이는 데 있다. 유나의 설명은 일부 맞지만, 정확한 이유를 제시하지 못했다.

도커는 VM보다 효율적이다. 그 이유는 도커가 별도의 가상 하드웨어와 운영체제에 의존하지 않고 호스트 OS 위에서 애플리케이션을 직접 실행하기 때문이다. 이는 VM보다 자원 소모가 적고, 애플리케이션 실행이 빠르며, 관리가 용이하다. 이러한 특징 덕분에 대규모 프로젝트나 복잡한 개발 환경에서도 도커는 효율적으로 활용될 수 있다.

매일 더 똑똑해지는 IT 교양서

ZERO TO ONE

공식 카페 접속하기